LA BARONNE MEURT À CINQ HEURES

Frédéric Lenormand

VOLTAIRE MÈNE L'ENQUÊTE

LA BARONNE MEURT À CINQ HEURES

ÉDITIONS FRANCE LOISIRS

Édition du Club France Loisirs,
avec l'autorisation des Éditions JC Lattès

Éditions France Loisirs,
123, boulevard de Grenelle, Paris
www.franceloisirs.com

ISBN : 978-2-298-05261-9

« On cache, on étouffe tous les délits scandaleux, tous les meurtres qui peuvent porter l'effroi et attester l'invigilance des préposés à la sécurité de la capitale. Et l'on fait sagement : si l'on en publiait la liste, elle serait effrayante. »

Tableau de Paris, Louis-Sébastien Mercier

PERSONNAGES HISTORIQUES, RÉELS, VÉRIDIQUES
ET AYANT EXISTÉ

FRANÇOIS-MARIE AROUET DE VOLTAIRE, trente-huit ans

ÉMILIE LE TONNELIER DE BRETEUIL, marquise du Châtelet, vingt-six ans

ANTOINETTE DESBORDEAUX, baronne de Fontaine-Martel, soixante et onze ans

HENRIETTE DE FONTAINE-MARTEL, comtesse d'Estaing, trente-sept ans

FRANÇOISE-THÉRÈSE DE BASSOMPIERRE, vicomtesse Picon d'Andrezel, cinquante-sept ans

VICTORINE PICON DE GRANDCHAMP, demoiselle de compagnie, vingt-quatre ans

MARIE-FRANÇOISE MARTEL DE CLÈRE, seize ans

MICHEL LINANT, abbé, dix-neuf ans

RENÉ HÉRAULT, lieutenant général de police, quarante et un ans

BEAUGENEY, valet de la baronne

PROLOGUE

À l'été 1731, René Hérault, lieutenant général de police, courait d'un bout à l'autre de Paris pour surveiller la pose de plaques au coin des rues, l'aspersion des chaussées couvertes de paille et de débris où couvaient les incendies, et le nettoyage des décharges remplies de rats.

Sa grande cause du moment était le déménagement d'un cimetière. Le sol débordait d'ossements et de dépouilles au point qu'on se contentait de jeter un peu de terre sur les nouveaux arrivés ; à la première pluie, avec le ruissellement, c'était un spectacle d'horreur qui s'offrait aux yeux des passants.

Il s'inquiétait aussi du curetage des égouts, où se formaient des bulles de gaz mortel. Il y avait l'organisation des hôpitaux, véritables mouroirs où se préparaient les épidémies. Il devait gérer les prisons, fournir des rapports aux tribunaux où seraient jugés les criminels qu'il avait arrêtés. En plus de tout cela, il était prié de tout savoir sur les Parisiens, de tenir ses carnets à jour, de discerner, du flot de filles de joie et d'escrocs en tout genre, les vrais nobles, les vrais riches, les vraies honnêtes gens, s'il y en avait encore.

René Hérault avait été nommé à ce poste pour avoir résorbé les émeutes de la faim à Tours. On l'avait choisi pour son aptitude à garder son sang-froid en toutes circonstances, et on avait bien fait : il ne savait plus où donner de la tête. Le parlement de Paris, le prévôt des marchands qui faisait office de maire, le ministre de l'Intérieur, le cabinet du roi, aucun de ses supérieurs ne l'aidait en quoi que ce soit. Quand Hérault parlait d'assainissement de la voirie, on lui répondait sécurité et répression. Quand il parlait d'humanité, on lui répondait respect de l'ordre établi. Les améliorations n'intéressaient que dans la mesure où elles facilitaient la vie des nantis ; que leur bien-être fût remis en question et tous ses efforts pour le bien public s'arrêtaient.

Le corps du haut serviteur de l'État percé d'un couteau qui gisait à ses pieds sous ces beaux lambris du faubourg Saint-Germain n'était pas là pour lui faciliter la vie. Un inconnu avait réussi à poignarder, chez lui, un officier du roi, et le seul fait curieux qu'avaient remarqué les domestiques était un étrange air de flûte qui s'était élevé quelques minutes avant qu'ils ne découvrent le drame.

Le lieutenant général de police savait trop bien ce qui allait arriver. S'il s'occupait de rechercher cet assassin, il n'aurait plus de temps pour organiser l'orphelinat des Enfants-Trouvés ou pour fermer les latrines méphitiques. Le ministre le harcèlerait ; tout serait suspendu jusqu'à ce qu'il eût réglé le problème marginal causé par l'assassinat d'un noble estimé de ses pairs.

Hérault avait obtenu pour cet après-midi-là une audience avec les conseillers de Paris. Il avait le choix entre leur parler de ce meurtre ou plaider pour la suppression d'une fosse d'aisances qui polluait un puits où venaient s'approvisionner des boulangers dont le pain était empoisonné la moitié de l'année.

Il ordonna à ses adjoints d'inscrire sur leur rapport que le défunt avait succombé à une fluxion de poitrine. Ce mensonge lui permettrait de gagner du temps ; mais, si leur assassin récidivait, le secret ne résisterait pas. Ses fidèles subordonnés n'étaient que des exécutants sans initiative ni imagination. Pour mener cette enquête avec discrétion et efficacité, il avait besoin d'un homme neuf, de quelqu'un de particulier, dont la façon de penser sorte des sentiers battus, de quelqu'un qui ne raisonnerait pas en policier ; de quelqu'un sur qui la lieutenance générale de police ait prise.

C'était beaucoup demander. Un tel homme existait-il seulement ?

CHAPITRE PREMIER

Comment Voltaire perdit l'abri
d'un beau château
et prit ses quartiers dans une soupente.

Aux derniers jours de l'été 1731 mourut M. de Maisons, âgé d'à peine trente ans. Lorsqu'elle entra dans l'église où avait lieu la messe de funérailles, sa veuve vit, parmi les magistrats, collègues de son mari, nombre de personnes qu'elle ne connaissait pas, et s'étonna de découvrir si tard combien le cher disparu avait eu d'amis. Il s'était acquis une certaine renommée pour avoir réussi à faire mûrir un caféier aux portes de Paris et pour avoir introduit en France une nouvelle couleur, le bleu-de-Prusse. Aussi l'ordonnateur de la cérémonie avait-il entièrement décoré l'église dans cette nuance, qui conférait aux funérailles un caractère d'originalité et, de surcroît, donnait bonne mine.

L'ordonnateur se nommait Voltaire. En habit bleu vif assorti à ses installations, en bas plissés, chaussé de souliers à boucle d'or, coiffé d'une perruque châtain ébouriffée comme la crinière d'une pleureuse grecque, écrasé de chagrin, il parcourut avec lenteur la travée centrale, soutenu par le comte d'Argental, pour aller déposer un rameau de l'arbuste à café sur le drap azuré qui enveloppait le cercueil. D'habitude si volubile, il eut du mal à prononcer quelques mots.

— Le meilleur des hommes... Mon fidèle ami... Il m'aimait ! C'est une perte irréparable !

On lui assura que non, qu'il était entouré de gens qui l'aimaient aussi. Celle qu'on oubliait un peu, c'était Mme de Maisons, assise au premier rang sur une chaise de paille.

— Qui est cette dame ? demanda un paroissien qui n'avait guère eu l'occasion de rencontrer les châtelains lors des offices.

On lui répondit que c'était la veuve.

— Ah, bon ? je pensais que c'était ce monsieur qui pousse des cris.

Au reste, la principale intéressée n'avait pas le temps d'être submergée par le désespoir, elle était ébahie. Les funérailles voltairiennes n'avaient rien d'ordinaire. Dans ce décor de ciel d'été qui faisait croire qu'on enterrait un prince du sang, l'écrivain se démenait, lançait des exclamations désespérées, humectait de ses larmes les pourpoints des âmes charitables.

— Quoi de plus triste que de perdre un ami !

On aurait pu lui répondre que c'était de perdre un mari.

Où vais-je loger, maintenant ?

— Prenez un appartement, vous avez de quoi, répondit d'Argental.

— L'affreuse idée! Il faut payer des termes, s'installer, compléter son mobilier, choisir des domestiques... On n'est jamais si bien chez soi que chez les autres.

Sa dernière logeuse était une ivrognesse qui injuriait les passants, se promenait toute nue dans la rue, menaçait d'incendier la cage d'escalier et, quelquefois, mettait sa promesse à exécution.

— Je m'ennuie, tout seul. J'aime qu'on s'occupe de moi pour moi. Je n'ai ni le temps ni le goût de l'intendance.

La messe finie, on accompagna le corps à la chapelle familiale.

En vérité, il ne se montra guère de visages à l'enterrement de M. de Maisons. Le malheureux était mort de la variole. Chacun se tenait à distance et se voilait la bouche par peur de la contagion. Ce fut devant cette assemblée de masques que l'on procéda à l'inhumation. Voltaire, revenu de sa torpeur, s'en étonna.

— S'ils ne sont pas venus pour l'honorer, pourquoi sont-ils venus?

— Vous savez très bien pourquoi ils sont ici, rétorqua d'Argental, avant de reculer comme les autres.

Voltaire avait déjà eu la maladie et le défunt avait succombé dans ses bras. Il se tint seul à côté des fossoyeurs.

— Il n'est pas plus dangereux qu'il ne l'était vivant. Et puis, j'ai pris mes pilules fortifiantes, elles garantissent de tout sauf de la bêtise humaine.

Il se pencha pour embrasser une dernière fois la caisse de bois, ce qui arracha aux masques des murmures horrifiés.

Ses lamentations reprirent alors qu'on scellait la stèle.

— Si jeune ! Quelle perte ! compatit une dame dans son mouchoir.

— Oui ! gémit l'écrivain. Me voilà abandonné ! Sans abri ! Sans protection ! Qui prendra soin de moi ?

Dans son deuil même, le roi des salons parisiens se montrait éclatant. Il suffoquait, glapissait, hurlait, appelait la mort de ses vœux, on crut qu'on allait l'enterrer, lui aussi. Soudain, il ressuscita, un bon mot lui échappa, il força ses amis à étouffer un rire dans leurs manches de dentelles. Sa tristesse le reprit, ses yeux rougirent, il sanglotait, on était à la tragédie. Il alla jusqu'à réciter quelques vers fameux de son *Œdipe*, qui étaient de circonstance :

Esprits contagieux, tyrans de cet empire
Qui soufflez dans ces murs la mort qu'on y respire,
Frappez, dieux tout-puissants, vos victimes sont prêtes !

On applaudit avec ravissement. Nul ne regrettait d'être venu, hormis peut-être la famille, mais aucun spectacle n'est à l'abri des grincheux.

L'extase éteinte, Voltaire frissonna.

— J'ai froid. Voilà l'hiver. En quel mois sommes-nous ?

— En septembre, répondit d'Argental, qui périssait de chaud.

L'orphelin de mécène envisageait l'avenir d'un œil morne.

— À près de quarante ans, je ressens le besoin d'une existence plus calme. Je suis las des auberges, des chambres d'amis, des châteaux en province... On y campe un moment, et puis il faut partir. Je voudrais me fixer dans une maison agréable, bien située, avec un personnel nombreux.

Par chance, on était là moins pour enterrer M. de Maisons que pour s'offrir à recueillir Voltaire. Il n'avait qu'à choisir parmi ceux qui attendaient de lui présenter leurs condoléances.

— Je ne demande pas grand-chose... Un joli salon avec une cheminée qui tire bien, devant laquelle je pourrai réchauffer mes os glacés, avaler mes potions, emmitouflé dans mes fourrures, mes foulards, mes robes de chambre, recevoir mes amis et leur parler de mes livres... Est-ce trop exiger ?

C'était en tout cas assez pour la grande femme, toute de satin vêtue, qui lui adressait des sourires entre deux tombes.

— Mme de La Rivaudaie vous propose ses vingt mille livres de rentes et le mariage, traduisit d'Argental.

Voltaire fit la moue.

— J'aimerais mieux trente mille sans.

— Prenez le chevalier d'Herbigny. Avec lui, point de mariage.

— Je n'irai pas chez un célibataire. Soit ils courent la donzelle, soit ils font naître de méchants soupçons.

— Le marquis de Bernières et sa femme vous ont réservé tout un étage dans leur hôtel.

Voltaire adressa un salut discret à la marquise,

— J'ai été trop lié avec Madame pour l'être avec Monsieur. Concentrons-nous sur les femmes seules.

Il jeta un coup d'œil aux postulantes.

— Trop belle, trop libre, trop mariée, se fait des illusions, grevée de dettes...

Son regard s'arrêta sur une grosse personne très mûre, à la face rougeaude, encadrée d'un laquais en livrée et d'une jeune fille de compagnie. Laide et nantie, c'était la candidate idéale.

— Mme de Fontaine-Martel, dit d'Argental. Trop âgée pour le mariage, trop usée pour les médisances, assez fortunée pour soutenir vos dépenses.

— Où loge-t-elle ?

— Sur le jardin du Palais-Royal.

— Je la trouve charmante. A-t-elle de l'esprit ?

— Elle en a pour quarante mille livres. Seul hic : elle est avare.

Voltaire se sentait de taille à tirer du lait d'une descente de lit en peau de chèvre. L'avenir lui souriait à nouveau.

— Je suis la providence des vieilles dames riches !

Les fossoyeurs lui tendirent la main pour le donné-à-Dieu.

— C'est Madame, dit-il en indiquant la veuve de Maisons.

L'assemblée déconfite le vit s'éloigner au bras de Mme de Fontaine-Martel, et le vrai deuil commença.

CHAPITRE DEUXIÈME

Où l'on voit qu'il n'est jamais trop tard pour apprendre la manière de bien souper.

Tandis que le carrosse roulait vers le Palais-Royal, Mme de Fontaine-Martel exprima l'espoir que le philosophe assis sur la banquette en face d'elle ne serait pas trop rebuté par ce qu'elle appelait son « peu d'esprit ».

— Comment donc ! s'exclama-t-il. J'adore le quartier !

La voiture s'arrêta dans la cour d'un petit hôtel à l'architecture dépourvue de fioritures, mais cossu et bien entretenu.

— Parfait, dit Voltaire, belle demeure. Je n'espérais pas que ce serait celle d'à côté, bien sûr, plaisanta-t-il en pointant le doigt en direction du palais des ducs d'Orléans.

La maison était aussi charmante que sa locataire l'était peu.

— C'est un petit paradis ! proclama-t-il. Vous êtes une fée !

La fée était une femme de soixante-dix ans, assez forte, qui avait dû posséder quelques grâces sous le règne de Louis XIV. L'excès de fards blancs et rouges qui masquaient son eczéma aggravait plutôt l'effet général. Ses yeux bleus et vifs, pleins de doute et d'ironie, faisaient supposer un jugement sans concession sur ses contemporains. Aux boucles aujourd'hui blanches de la baronne, à ses sourcils parfaitement dessinés, on devinait des beautés anciennes dont les restes les plus visibles étaient trois rangs de grosses perles en tour-de-cou, quelques bijoux rutilants, un immeuble à viager perpétuel et de confortables revenus obtenus par protection. Sans être d'une hauteur supérieure, son intelligence n'était pas à mésestimer, sous peine de subir sa raillerie perçante et même cruelle. Elle pouvait être drôle avec ses pairs, tolérante pour les défauts qu'elle comprenait ; elle était dure pour les subalternes et sans pitié pour les gens sur qui elle avait prise. Heureusement, Voltaire était glissant comme un goujon.

On avait prévu pour l'hôte de marque un appartement sous les toits, plutôt bas de plafond, mais avec une vue sur les verdures du plus luxuriant jardin de Paris. Mme de Fontaine-Martel espéra que cela conviendrait. L'arrivée rapide du mobilier fournit la réponse.

On indiqua seulement au nouveau venu qu'il ne fallait pas pénétrer dans certain cabinet où Madame s'enfermait seule de temps en temps.

— Comme dans le conte de Perrault ! se réjouit l'écrivain. Toute maison devrait avoir un secret !

Il ignorait, à ce moment, jusqu'où le mènerait celui-là.

Dès qu'il fut seul, il pesa sur la poignée de la porte interdite, mais, si grande que fût la confiance, on avait pris la précaution de donner un tour de clé. Voltaire passa donc son premier après-midi à ranger sagement ses livres sur leurs étagères et à superviser l'accrochage de ses tableaux : à petit homme, petit bagage, mais à grand esprit, grosse bibliothèque.

Il s'était persuadé que les charmes de la table seraient inversement proportionnels à ceux de la maîtresse. Le premier repas fut une surprise, le deuxième, une déception, le troisième, une faute à rectifier d'urgence. Le philosophe faisait triste mine, assis entre son hôtesse et la demoiselle de compagnie, une jolie rouquine de bonne famille que son employeuse tyrannisait.

Maigre comme il l'était, Mme de Fontaine-Martel avait cru qu'il ne se préoccupait guère de nourriture.

— Quelle erreur ! s'insurgea l'écrivain. Les soupers sont le pivot de la société ! Il ne s'agit pas de manger, mais de *donner* à manger !

La baronne avait beaucoup reçu dans sa jeunesse, mais, depuis quelque temps, beaucoup moins.

— Depuis combien de temps ? s'inquiéta Voltaire.

— Disons... depuis les quinze ou vingt dernières années.

Son invité résolut de remédier à cette négligence intolérable.

— Chargez-vous d'attraper le chapon, je me charge de vous amener avec qui le partager !

Ils décidèrent d'un jour où Voltaire organiserait tout. Ce serait le jour de réception de la baronne.

— Prenez le dimanche : nous aurons tous ceux qui ne vont pas à la messe.

Il fit passer le mot à ses admirateurs : la table était ouverte et on acceptait, pour la garnir, les dons en nature qui se mangeaient. De ce moment, il fut en outre décrété que l'avarice ne s'appliquerait plus aux victuailles.

Au reste, l'écrivain ne volait pas le pain dont on le nourrissait. Faire de cet endroit un salon à la mode représentait du travail. Il fallait sans cesse combattre la pente naturelle de son hôtesse et la remettre sur la voie de la prodigalité. Il y eut la bataille du bois de chauffage, la querelle des chandelles, le duel de la piquette et du champagne, et ainsi de suite.

À force de réformes, les convives se firent de plus en plus nombreux et prestigieux. Quand Voltaire parvint à attirer chez elle deux princes du sang, sa protectrice crut s'étouffer de bonheur.

— Avant, j'étais une grosse baronne ridicule. À présent, je suis une grosse baronne ridicule qui a Voltaire !

Il lui jura que nul n'oserait employer devant lui pareils qualificatifs.

— C'est bien pourquoi je compte vous garder toute ma vie. Vous êtes le plus bel ornement d'une femme.

Elle ne sortait plus qu'avec son manteau, ses gants et son Voltaire.

L'écrivain voulut lui faire engager le jeune abbé Linant comme secrétaire. La baronne comprit très vite que le travail de l'abbé serait de faire le secrétariat de Voltaire. Elle refusa, au prétexte qu'elle ne voulait pas d'un jeune homme chez elle : ils étaient tous coureurs de jupons, cela lui rappelait trop de mauvais souvenirs et aussi, hélas, quelques-uns de bons.

Comme dans toutes les maisons à la mode, on sortait les cartes à jouer quand on était las de causer littérature. Voltaire perdit douze mille francs au biribi, un jeu qui avait ruiné bien des fils de famille. Il fallut y mettre le holà : il se ruinait, la baronne se ruinait, il n'était pas venu pour se ruiner, ni pour la regarder dilapider au jeu une rente qui pouvait être employée à un meilleur usage.

La baronne avait par ailleurs des saillies d'une férocité à la faire détester. Un jour qu'il promenait sa Fontaine-Martel dans les jardins du Palais-Royal, ils rencontrèrent quelques connaissances parmi lesquelles se trouvait une dame coiffée d'un énorme chapeau de paille en forme de pot de fleur renversé, orné d'un énorme ruban passé dans une énorme boucle.

— Quel drôle de couvre-chef ! dit tout haut la baronne.

On l'informa que cette femme était anglaise : il lui était permis de porter ce qui était à la mode dans son pays.

— Veuillez m'excuser, avait répondu la baronne. J'ignorais qu'il était permis d'être grotesque quand on est anglaise.

Voltaire décida qu'il valait mieux écrire pour elle tout ce qu'elle dirait. Les circonstances lui donnèrent bientôt l'occasion d'appliquer cette résolution.

Un incident se produisit au beau milieu de la nuit, alors que Voltaire faisait un rêve agréable : il était reçu à l'Académie au nez et à la barbe de trois jésuites, d'un janséniste et d'un chevalier de Rohan, aux acclamations de la foule réunie pour écouter son discours. Curieusement, ses pairs avaient même prévu un petit orchestre, car le nouvel immortel entendait le son peu harmonieux d'un fifre.

Des cris qui n'étaient pas de joie ramenèrent brutalement son attention vers les vicissitudes du monde réel. Il pleuvait. Les gouttes frappaient le toit et les carreaux.

Le fifre, en tout cas, n'était pas que dans le rêve. Voltaire perçut nettement les dernières notes d'une mélodie inconnue, qui s'interrompit bientôt. Son premier mouvement fut de chercher ses pantoufles pour aller dire son opinion à celui qui avait eu l'idée de faire de la musique sous la pluie, à cette heure-là, sans respect pour son discours de réception.

Son deuxième mouvement fut de se renfoncer sous les couvertures : quelqu'un, dans la maison, poussait des cris abominables. Comme il y avait du bruit dans l'escalier et que l'attaque est la meilleure défense, une maxime qui lui servait beaucoup dans sa vie d'homme de lettres, l'écrivain saisit un chancelier éteint, se couvrit de son bonnet de fourrure, ouvrit sa porte avec circonspection et sortit voir ce que c'était.

La baronne errait dans les couloirs, l'œil hagard, pieds nus, en chemise, sa charlotte sur la tête. Elle avait dû se déplacer dans le noir, car le seul éclairage venait des bougies que tenaient d'une main tremblante la servante et la demoiselle de compagnie, à l'autre bout du corridor.

Voltaire s'empara de la main de la vieille femme et la ramena dans sa chambre.

La fenêtre était béante, il y avait des traces humides sur le plancher. Un coup de vent avait dû l'ouvrir avec un fracas qui avait désorienté la dormeuse. Voltaire ordonna de coucher Madame et de ranimer le feu. Tandis que les domestiques s'affairaient, il ramassa un bout de papier chiffonné et mouillé où l'on avait griffonné une portée musicale. C'était inattendu, la baronne n'étant pas musicienne. Il le fourra dans son bonnet et n'y pensa plus.

Mme de Fontaine-Martel se laissa installer contre ses oreillers. Son regard avait toujours cette fixité épouvantée d'une femme qui a rencontré un loup au fond d'un bois.

— L'orage est cause de vos visions, hasarda son pensionnaire, pressé de retourner à son discours académique.

— Il ne pleuvait pas, dans mon rêve ! glapit l'hallucinée.

« Dans le mien non plus », songea Voltaire.

Mme de Fontaine-Martel contempla un instant les ténèbres nocturnes tandis qu'on replaçait les volets.

— Vous voyez, dit-elle : on fait un affreux cauchemar et, quand on se réveille, c'est pire.

— Mais non, ce n'est pas pire, la consola Voltaire en lui tapotant la main : je suis là !

Elle saisit ses doigts et les serra dans ce que l'écrivain crut être une pince de homard.

— Ah ! Mon ami ! Je vais vous conter le plus horrible des rêves !

— Merci beaucoup, répondit Voltaire en tâchant de libérer ses phalanges broyées.

Il était persuadé qu'une grande fortune était une malédiction : plus on avait de facilité à résoudre les petits tracas, moins on résistait aux grands problèmes existentiels.

— C'était pendant l'horreur d'une profonde nuit, commença la baronne.

Le même cauchemar lui revenait de plus en plus souvent. Elle était poursuivie par un fantôme tout noir. Une ombre sépulcrale rôdait sur ses pas, où qu'elle aille. Réfugiée dans ses appartements, elle apercevait un visage à la fenêtre, alors qu'elle était à l'étage. Elle ne savait plus où fuir.

— Je sais pourquoi ! assura-t-elle d'une voix pleine de mystère.

Il avait bien, lui aussi, une hypothèse, mais la dire aurait été impoli. Il fallut laisser Athalie continuer son délire.

La baronne n'avait jamais eu la foi, la confession du commun des fidèles ne lui était d'aucun secours. Elle prit donc cette nuit-là pour confesseur le philosophe assis à son chevet.

— J'ai commis une faute, une grande faute, une faute impardonnable qui me poursuit aujourd'hui !

L'écrivain en déduisit que c'était son remords qui la hantait.

Épuisée, la baronne renonça à en dire plus. Comme il n'avait guère envie d'en savoir davantage, Voltaire vérifia qu'elle ne manquait de rien, la laissa à la garde de sa lectrice et lui souhaita un sommeil paisible.

Il songea, en remontant chez lui, qu'il aurait été opportun d'inventer une nouvelle sorte de médecine pour soigner le genre de mal dont elle souffrait.

CHAPITRE TROISIÈME

Voltaire se nourrit de littérature et la baronne, de marcassins.

Quoi qu'il en fût du fantôme et des cauchemars, Voltaire venait de découvrir le moyen d'empêcher sa baronne de jouer aux cartes et de proférer des sottises. Puisqu'elle se prenait pour Athalie, les dimanches de réception seraient désormais consacrés à des représentations théâtrales entre amis. Le temps du spectacle, son hôtesse réciterait son rôle ; puis on dînerait, elle aurait la bouche pleine.

Pour emporter son accord, il choisit un beau sujet dans son recueil de mythologie grecque et composa en quelques jours une de ces petites tragédies dont il avait le secret.

— Je vais vous montrer mon *Eriphyle*, annonça-t-il quand cela fut prêt.

— J'ai assez de mon eczéma ! se récria la baronne.

Son enthousiasme ne s'accrut pas beaucoup après qu'elle eut compris que c'était du théâtre.

Déterminé à faire d'elle une actrice, Voltaire lui donna lecture de son œuvre.

Dans sa jeunesse, la reine Eriphyle avait laissé son amant assassiner son mari, puis son fils. Des années plus tard, elle se voyait hantée de visions sinistres. Un spectre la poursuivait, les murs du temple s'ébranlaient, une musique inquiétante s'en échappait, les passants croisaient dans les rues l'ombre de l'époux défunt. Eriphyle devait s'en choisir un nouveau et le couronner. L'amant assassin comptait bien occuper la place, mais un jeune étranger se présentait, auréolé par la gloire de ses exploits guerriers. Le dénouement plus ou moins incestueux que chacun pouvait voir venir était agrémenté d'une apparition fantomatique et d'un parricide, pour faire bonne mesure.

Mme de Fontaine-Martel fut époustouflée. Qu'on eût agrégé à ce drame antique ses hantises personnelles ne la frappa nullement : l'œuvre s'inspirait trop de sa vie pour que le modèle s'en aperçût. Elle jugea la tragédie édifiante, le caractère d'Eriphyle admirable, en un mot l'ouvrage était sublime.

— Je n'ai jamais entendu une pièce si magnifique !

C'était qu'aucune ne lui parlait d'elle.

On la joua et rejoua dans son salon, devant un parterre d'amis, entre les amuse-gueule et le plat de résistance. Tout ce que Paris comptait d'amateurs de belles-lettres et de bon vin défila sur ses coussins. L'auteur avait accompli le miracle de faire affluer la clientèle vers une auberge où l'on mangeait mal. Mme de Fontaine-Martel terminait ces soirées épuisée de fatigue et de contentement, affalée dans une bergère, un dernier verre de liqueur à la main.

— Ah ! Mon cher petit Voltaire ! Vous me ferez mourir !

— À ce propos..., dit-il un soir.

À son avis, elle devait prévoir de laisser quelque chose à ses gens, notamment à sa demoiselle de compagnie – il avait trop de modestie pour se nommer lui-même. Où irait-elle, la pauvrette, si sa maîtresse venait à disparaître – et lui, où irait-il ? La bonne baronne devait songer à se faire regretter de ses gens – et de lui.

— Soyez en repos, répondit-elle : il y a un testament.

— Oui, mais un vieux, un périmé. Ces sortes de plats se consomment frais. Il faut en donner une part à ceux qui font aujourd'hui votre bonheur. Vos serviteurs sont mal payés ; vous achèterez leurs sourires et leur patience avec des promesses. Le jour venu, ils vous pleureront comme s'ils avaient perdu leur mère.

Ces louanges posthumes s'accordaient peu avec l'athéisme de la baronne. Sans espérance de gagner un paradis aux contours fort brumeux, elle n'avait que faire de prières et de regrets.

En revanche, l'idée de payer les gages avec de belles paroles séduisit son sens de l'économie. Elle annonça à sa demoiselle de compagnie,

Mlle de Grandchamp, qu'elle pourvoirait à son établissement par le biais de ses dernières volontés. La jeune fille montra une joie presque blessante, d'autant que ce fut au cou de Voltaire qu'elle se pendit avec gratitude, bien consciente que c'était à lui qu'elle devait ces bonnes grâces.

— Tempérez vos transports, lui recommanda l'écrivain. Madame est d'une nature à être centenaire. Nous aurons encore bien des occasions de jouer ici mes pièces avant de vous voir établie.

C'était bien ainsi que l'entendait la donatrice.

Au printemps, Voltaire échappa un moment à l'emprise de son égérie, fit un séjour à Arcueil, chez Mme de Guise, autre muse, et composa en vingt-deux jours une tragédie intitulée *Zaïre*. La Comédie-Française la mit à son répertoire ; ce fut le triomphe de l'été, puis de l'automne. La baronne en conçut un sentiment mitigé.

— Quand vous êtes chez moi, vous rédigez de vilains poèmes qui fâchent tout le monde. Quand vous êtes chez la de Guise, vous produisez le plus gros succès de ces dix ans !

Elle se consolait en jouant les Mme Voltaire devant leurs affidés, qui se firent plus nombreux que jamais, tandis que Voltaire se désignait lui-même sous la formule « nous, les Fontaine-Martel ».

La principale interprète de *Zaïre* à la Comédie-Française étant tombée malade, Voltaire reprit les représentations chez eux. Leurs amis se partageaient les rôles. La suivante de la baronne devint celle de Zaïre, et Voltaire interpréta son père, le vieux Lusignan, d'une manière que tout le monde trouva admirable, à commencer par lui-même.

Le succès l'étourdissait. La littérature était un jeu auquel il s'efforçait de toujours ramasser la mise. Quant à Mlle de Grandchamp, ses attraits lui valurent des applaudissements dont l'auteur fut ravi.

— Elle est parfaite, cette petite. Faites-lui du bien.

— Mais oui, c'est prévu, dit la baronne.

Et l'on en resta là, une fois de plus.

Voltaire recevait de ses admirateurs des hommages sous forme de victuailles, mais il avait intérêt à être présent lorsqu'elles étaient livrées. En janvier 1733, un jour qu'il rentrait d'avoir fait sa cour à Versailles, il trouva son hôtesse à table.

On soupait d'ordinaire moins tôt, mais la baronne, qui s'ennuyait, avait avancé l'heure pour profiter d'un plat dont les minces reliefs ne cachaient plus les motifs floraux de la faïence de Gien. La dîneuse se goinfrait des derniers reliquats.

Quand elle put parler, elle le chargea de remercier un M. Clément qui lui avait envoyé – à lui – un marcassin de cinq livres ; seuls les os du délicieux animal pouvaient encore en témoigner. L'ogresse en avait dévoré le meilleur, ses domestiques l'avaient débarrassée du reste, on avait laissé au destinataire le poème de circonstance et la lettre pleine d'amabilités qui accompagnaient l'offrande.

Avec ses longues manches de dentelles et ses yeux de prédateur, Mme de Fontaine-Martel ressemblait à un furet pressé de se gaver avant l'arrivée de plus gros carnassiers ; Voltaire eut la sagesse de ne pas approcher de son assiette. Heureusement, les grands artistes vivent principalement d'idées, et la maison offrait des compensations.

Après le marcassin, on eut envie d'une douceur. Un assortiment de confitures avait justement été déposé par un admirateur anonyme. L'écrivain prit une chaise pour relater sa visite à Versailles, tandis que son hôtesse engloutissait des cuillerées de fruits au sucre.

Il constata avec dépit qu'elle avait profité de son absence pour retomber dans ses travers. Après avoir mangé le repas de six personnes, elle égrena quelques méchancetés à propos de ceux qu'il attirait chez elle, toutes personnes de qualités qu'il convenait de ménager. Il la mit en garde :

— À force de dire ce que vous pensez de vos prochains, vous vous mettrez dans quelque mauvais cas.

— Mieux vaut railler et se faire des ennemis que soigner ses amis et s'ennuyer ! rétorqua-t-elle entre deux bouchées.

C'était une maxime qu'il aurait pu faire sienne. Certaines formules de sa baronne atténuaient un peu, aux yeux du philosophe, l'étendue assez vaste de ce qu'il fallait lui pardonner.

— Bah ! reprit-elle. Qui oserait s'en prendre à une femme de qualité protégée par Monsieur, frère du roi !

Elle dodelinait curieusement de la tête. Voltaire demeura perplexe.

— Monsieur est décédé il y a plus de trente ans, rappela-t-il.

Mme de Fontaine-Martel balaya l'objection d'un geste.

— Je suis dans les petits papiers du Régent.

Ce prince était mort depuis dix ans. Voltaire se demanda si elle avait bu, il chercha des yeux les alcools. Point de bouteille en vue. Par ailleurs, la vieille dame n'avait pas pour habitude de s'enivrer à cette heure-ci et elle tenait bien le vin.

De plus en plus erratique, elle lui révéla comme un grand secret, d'une voix pâteuse, l'existence d'une lettre à ouvrir avec son testament, qui était bien cachée et qui ferait grand bruit après sa mort. Ses ennemis, elle les connaissait, espéraient sa fin et seraient bien déçus.

Il eut la conviction qu'elle perdait l'esprit sous ses yeux. Le marcassin lui faisait tort. Elle finit par être malade dans son saladier de Gien, qu'un valet emporta avec une mine dégoûtée. Vaguement soulagée, la baronne reprit le cours de ses lubies.

— Il tourne autour de moi un essaim de guêpes dont je saurai me défaire. Mais elle n'a pas la preuve ! La preuve y est toujours !

Voltaire eut beau demander de quelle preuve elle parlait, la dîneuse refusa d'en dire davantage, ou de lui révéler qui était cette personne que ses secrets intéressaient.

Il fit des signes discrets aux domestiques. Ceux-ci crurent qu'on leur demandait de débarrasser, alors que l'écrivain souhaitait seulement être débarrassé de la baronne.

Il sursauta. Elle venait d'éclater de rire toute seule.

— Ah ! Voltaire ! Vous me ferez mourir ! s'écria-t-elle avant de tomber à la renverse avec sa chaise.

Ces incohérences, ces renvois et la disparition du marcassin avaient coupé le peu d'appétit du poète. Il la laissa à ses ripailles, à son délire, à ses gens, prit son chapeau, sa pelisse, sa canne, et sortit se consoler d'un chocolat sous les ramures du parc.

CHAPITRE QUATRIÈME

Comment Voltaire
vit une baronne mourir
et ressusciter dans la même nuit.

La cour du petit hôtel de Fontaine-Martel ouvrait sur le vaste jardin du Palais-Royal par une grille qu'on ne fermait qu'à la nuit tombée, quand on n'oubliait pas de le faire. Ce parc, ouvert à tous dans la journée, occupait un grand terrain oblong, planté d'arbres et bordé de maisons particulières sur trois côtés.

L'atmosphère était douce et légère en dépit de la saison. On entendait même un petit air de fifre venu d'on ne savait où, discret et mystérieux comme le chant d'un oiseau. Voltaire s'installa dans un kiosque chauffé par deux braseros. Il sirota son chocolat tout en jetant un œil sur la gazette de Hollande, la seule qui donnât parfois de vraies nouvelles de France.

Après avoir savouré sa boisson et les médisances répandues par les Hollandais sur le compte des Français, il repartit vers sa demeure sans se presser. Dames en gilet de renard et messieurs munis d'une canne se promenaient entre les arbres.

Une voix flûtée le héla :

— Alors, joli lutin ! On cherche sa nymphe ?

La nymphe était outrageusement fardée et bombait le torse de manière à mettre en valeur deux arguments faits pour emporter la conviction. Peu amateur de plaisirs tarifés, joli lutin salua d'un hochement de tête et poursuivit sa promenade dans une autre direction.

Un peu plus loin, un monsieur embusqué derrière une haie lui fit à son tour des appels discrets. S'il n'aimait pas être abordé par les filles publiques, Voltaire ne raffolait pas non plus de l'être par un homme. Il allait modifier encore une fois son itinéraire quand il reconnut le commissaire au Châtelet chargé du quartier, un personnage à qui il avait eu affaire plus souvent qu'à son tour.

Il se confirma une fois de plus que les rencontres inopinées avec ceux qui exercent les fonctions de police sont rarement plaisantes. L'écrivain était à nouveau sous l'œil des autorités : un de ses ennemis avait exhumé un vieux libelle de sa façon dont la Cour était irritée. En vain le suspect d'outrage littéraire plaida qu'il n'en était pas l'auteur et qu'il ne l'avait d'ailleurs pas signé. Le commissaire n'était pas là pour recueillir son témoignage : un protecteur haut placé l'avait chargé de le mettre en garde. Le conseil qu'on lui donnait était de ne pas faire parler de lui dans les mois à venir.

Voltaire s'éloigna en remâchant son ressentiment envers ceux qui s'en prenaient à de malheureux vers un peu caustiques.

Il se fit un mouvement de groupe dans les allées. On avait cru apercevoir, dans le jour finissant, une ombre qui bondissait de toit en toit. Les promeneurs se montraient les façades les plus proches, au-dessus desquelles avait eu lieu l'inquiétante apparition.

Une fille de joie, un monte-en-l'air, un policier... Voltaire se dit que les lieux étaient décidément mal famés. Il était temps de rentrer, d'autant que le soleil allait bientôt disparaître. L'écrivain franchit la grille de la cour et toqua à la porte de l'hôtel.

La servante qui lui ouvrit était catastrophée.

— C'est Madame !

Il commençait à être las des fantaisies de la baronne. Peut-être était-il temps de se trouver un asile plus tranquille.

— Qu'a-t-elle encore fait ? s'exclama-t-il, excédé.

— Elle est morte !

Le déménagement sembla devoir s'envisager plus tôt que prévu. Voltaire demanda où elle était ; elle était au lit, s'étant couchée au sortir de la table. L'information le rassura.

— Elle a le sommeil lourd, vous vous serez trompée.

— Je ne crois pas, répondit la servante.

Il monta au premier. Un valet nommé Beaugeney lui barra le chemin.

— N'entrez pas ! C'est horrible !

Il entra.

C'était horrible.

La dormeuse portait d'affreuses cornettes de nuit dont les piques en désordre faisaient de sa tête un oursin géant. Elle avait la bouche grande ouverte, tel un poisson hors de l'eau. Sa chemise bâillait, elle était dépoitraillée. Son visage dépourvu de fards était déformé par une grimace de douleur ou de frayeur, à moins qu'il ne s'agît d'un vilain rictus morbide. À plusieurs reprises, Voltaire avait eu l'occasion de voir des défunts, mais aucun n'arborait une expression aussi laide. Le sang qui s'échappait de sa poitrine avait maculé le torse, le vêtement et les draps.

Pire encore, des traces sanglantes partaient de la descente de lit, s'en allaient vers le palier et jusque dans l'escalier qui menait à l'appartement de l'écrivain. L'accès au toit pouvait se faire par là. Il eut des sueurs froides : il aurait pu se trouver chez lui, sur le passage de l'assassin, et connaître un sort aussi funeste que sa protectrice !

La cuisinière était prête à crier au meurtre par la fenêtre, le valet avait perdu le souffle comme s'il rentrait d'une course effrénée, la servante priait à genoux dans le corridor et Mlle de Grandchamp pleurait entre ses mains. Cette agitation agaça l'écrivain, déjà bien assez nerveux comme ça.

— Allons ! Gardez votre sang-froid ! clama-t-il.

Il interdit que l'on prévînt quiconque. Une fois le personnel admonesté, il se retrancha dans sa soupente et put laisser libre cours à sa propre fébrilité. Il s'agissait de gagner du temps pour veiller à sa sauvegarde. À aucun prix des yeux étrangers ne devaient se poser sur ses manuscrits. Il importait de cacher ses papiers, puis ceux de la baronne, certainement remplis d'impiétés qu'on ne manquerait pas de lui imputer, à lui, bien qu'elle ne l'eût pas attendue pour rejeter en vrac religion, morale et conventions.

Il n'en était qu'au début de son tri quand il perçut un brouhaha de voix qu'il ne reconnut pas. Il fourra une pile de feuillets dans la cheminée, une autre sous son matelas, prit son courage à deux mains, se composa une expression de sérénité philosophique et descendit voir ce que c'était.

Dans la chambre du meurtre, le commissaire au Châtelet rencontré dans le jardin était penché sur la victime.

— Quel massacre ! Elle est défigurée !

Le valet Beaugeney lui indiqua que Madame était affligée d'un eczéma.

— Ah, je vois, fit le commissaire, gêné.

Il se redressa, découvrit Voltaire et lui présenta ses condoléances. L'écrivain précisa qu'il n'avait pas le bonheur d'être apparenté à sa logeuse, qu'il vivait au-dessus et la connaissait à peine.

— Mais c'est vous qui subirez les conséquences de son décès, dit le commissaire. Mes condoléances sont pour la perte de votre tranquillité.

Tandis que l'officier public se livrait à un rapide examen des lieux, Voltaire s'interrogea sur la génération spontanée des forces de police dans les maisons où se commettent des crimes. Il fallait que le Châtelet eût son informateur dans la domesticité. Il imaginait fort bien que la lieutenance veuille être tenue informée de ce qui se disait dans les salons à la mode, et surtout dans ceux où l'on voyait Voltaire. Il se rendit compte avec horreur qu'un des serviteurs avait dû répéter aux indiscrets tout ce qu'il racontait à sa baronne. Voilà ce qui arrivait quand on rabiotait sur les gages ! Il fallait bien que quelqu'un nourrisse le personnel ; c'était le lieutenant général de Paris qui s'en chargeait. Cette trahison jeta une ombre sur la fidélité des domestiques, d'une nuance déjà fort sombre.

Le commissaire demanda quels avaient été les derniers mots de la défunte, Beaugeney affecta l'embarras.

— Elle a dit que M. Voltaire la ferait mourir.

L'écrivain s'étouffa et rougit.

— Va-t'en, faquin ! cria-t-il au valet.

Une silhouette massive apparut dans l'encadrement de la porte.

— C'est moi qui décide de qui va où, déclara le lieutenant général Hérault en pénétrant dans la pièce sens dessus dessous.

Il y avait une promesse de Bastille dans ces mots-là.

René Hérault était un homme assez grand, sec et mince, coiffé d'une longue perruque châtain. Son habit rouge, ou plus exactement « fraise écrasée », renforçait le sentiment d'inquiétude que suscitait déjà l'expression sévère et suspicieuse de son visage. Il approcha du lit sans ajouter un mot et se pencha sur la victime, dont le sang ne coulait plus.

— On la dirait saignée par un vampire, marmonna-t-il entre ses dents.

— Je ne le pense pas, dit Voltaire. Ces créatures quittent rarement leurs montagnes des Carpates.

Hérault posa sur le philosophe un regard étonné.

— Vous croyez aux vampires, vous, l'ennemi de la superstition ?

— Je le suis des fariboles répandues par les prêtres de chez nous. Loin d'ici, ce ne sont que de sympathiques croyances populaires. Les vampires ne me dérangent pas, du moment qu'ils n'émargent pas à l'évêché de Paris. Les Valaques ont leurs suceurs de sang, nous avons nos jansénistes et nos jésuites.

— Je doute que Mgr de Vintimille porte foi à ces sortes de choses, objecta Hérault.

— Si l'Église n'y croit pas, nous avons lieu de penser qu'elles existent, insista Voltaire. Inscrivez donc : « Crime commis par un vampire. » Envoyez copie à Notre-Dame.

Hérault frappa dans ses mains. Un bonhomme impassible, qui avait dû se tenir dans le couloir, entra à l'instant, muni d'une caisse recouverte de cuir écarlate.

— La défunte était-elle dévote ? demanda le lieutenant général. La voyait-on à l'église de la paroisse ?

Voltaire avait cru que la question s'adressait aux gens de maison, mais il vit l'assistant ouvrir sa boîte, en sortir une fiche et répondre à leur place :

— Pas depuis la Noël d'il y a trois ans, monsieur.

— Certaines personnes s'offrent tous les luxes, y compris celui de ne pas croire en Dieu, conclut le chef de la police. Passons à l'enquête de moralité. Rappelez-moi d'où vient votre opulence, Arouet.

Ce n'était donc pas la moralité de la défunte qui intéressait l'enquêteur. L'écrivain se sentit pris dans le fanal du Châtelet.

— Je ne suis pas riche ! se défendit-il. J'ai gagné à la loterie !

— Ah, oui, je me souviens... Vous étiez de cette association crapuleuse qui achetait la plupart des billets sous de faux noms pour empocher le gros lot. Voilà une source honnête pour une fortune ! Mme de Fontaine-Martel n'était plus de la première jeunesse. Vous pourriez avoir eu envie de manger son bien avec une autre femme...

— Vous plaisantez ? Le meilleur titre qu'on pouvait avoir pour entrer chez elle était d'être impuissant !

— Ah, bon ?

La complexion du philosophe vira au vermillon.

— J'ai offert mon corps à la littérature !

— Courrier ! clama Hérault.

L'assistant à la boîte en cuir lui tendit un papier.

— Je vous cite : « *Elle a toujours peur* qu'on ne l'égorge *pour donner son argent à une fille d'opéra. Jugez, avec cela, si Linant, qui a dix-neuf ans, est homme à lui plaire !* »

L'écrivain exigea de voir le document. Ce n'était pas son écriture. Il nia avoir écrit ces mots.

— Bien sûr que non, confirma Hérault. Je fais toujours copier vos lettres avant de les transmettre à leurs destinataires.

Certes, l'allusion à l'égorgement était troublante. Le lieutenant général demanda où l'on pouvait trouver ce M. Linant. Voltaire dut expliquer qu'il n'y avait là qu'une figure de style et que le Linant en question était abbé. Le commentaire de ses propres textes commençait à lui prendre plus de temps que leur rédaction.

— Alors ? fit Hérault, de l'air d'un chasseur qui a coincé une perdrix dans un fourré. On s'installe chez des vieilles dames riches qui ne tardent pas à mourir ?

Voltaire protesta qu'il n'était pas son héritier ; cela pouvait être n'importe qui.

— Elle avait promis à cette demoiselle, par exemple, dit-il en désignant la lectrice, qui sanglotait dans un coin.

Hérault se tourna vers la jeune rouquine à la peau de lait.

— Comment vous appelez-vous, mon enfant ?

— Victorine, monsieur.

— Vous n'avez pas tué votre maîtresse, Victorine ?

— Non, monsieur.

— Dans ce cas, il va nous falloir chercher d'un autre côté…

Son regard glissa vers Voltaire. Néanmoins, il avait des priorités plus urgentes que d'enfermer des libres penseurs dans le donjon qui constituait leur habitat normal.

— Vous avez de la chance qu'il s'agisse d'une mort naturelle, Arouet.

La sentence stupéfia les personnes présentes. Le lieutenant général reconstitua brièvement les faits tels qu'il les voyait : victime d'un malaise, Mme de Fontaine-Martel s'était blessée en tentant de saisir son crucifix et son missel.

Même l'imagination d'un tragédien invétéré se refusait à accepter cette version.

— Personne n'y croira, elle était aussi libertine qu'on peut l'être.

— Vous êtes donc tout indiqué pour inventer une autre histoire, grinça Hérault. Je vous abandonne cette tâche. Pensez-y bien. Il n'est pas question que cette affaire s'ébruite, j'ai assez de problèmes.

Comme Voltaire n'avait pas l'air de comprendre en quoi il était concerné ni par ces faits ni par ces mensonges, le lieutenant général tira de sa poche une lettre de cachet qui ordonnait son incarcération à la Bastille. Le roi l'avait signée, mais Sa Majesté se souciait peu de vérifier l'exécution de ses ordres : que le suspect livrât l'assassin à la lieutenance et la lettre resterait dans cette poche, qui était profonde.

— Pour la galerie, ce sera une fluxion de poitrine, conclut Hérault. Le meurtre restera entre vous et moi. Comme tant de choses que vous faites... et que vous écrivez.

Voltaire n'eut guère le temps de se demander pour quelle raison la police voulait cacher un meurtre aussi abominable. Beaugeney les informa qu'un prêtre venait d'arriver.

Il y avait beau temps qu'un homme d'Église n'avait franchi ce seuil. Hérault avait réquisitionné celui de Saint-Eustache, qui avait l'habitude de rendre service. Il devait certifier que la baronne était morte en bonne croyante, ce qui permettrait une inhumation dans les formes.

Le curé, un homme replet en habit noir, col de dentelle blanche et perruque courte, salua la compagnie et jeta un coup d'œil à la malheureuse.

— La défunte était-elle bien chrétienne ? demanda-t-il en constatant qu'aucun signe de religion ne décorait la chambre.

— Sûrement, cette dame n'est pas morte mahométane, dit René Hérault.

Il expliqua au curé ce qu'il devrait prétendre : M. de Voltaire, ici présent, était allé le chercher pour l'exhorter à administrer sa chère amie, qui se sentait mal. M. l'abbé jaugea le mécréant notoire debout en face de lui.

— Voltaire? Les derniers sacrements? Vous êtes sûr?

Il aurait préféré une version plus crédible.

— Ne vous inquiétez pas, dit Hérault. Monsieur relatera la fin édifiante de cette dame à quelques amis, avec force détails, sous le sceau du secret, et tout Paris en sera averti.

Le prêtre n'aurait qu'à confirmer qu'il l'avait confessée et qu'elle avait reçu de lui la communion, si quelqu'un s'en inquiétait.

— Et maintenant, nous pouvons l'ouvrir! déclara Hérault.

L'abbé se félicita que l'estomac ne contînt pas réellement l'hostie consacrée.

Le lieutenant de police comptait sur l'autopsie pour lui apprendre la vérité qu'il avait si bien cachée derrière ses propres mensonges. Voltaire écarquilla les yeux.

— Vous allez vraiment l'ouvrir? Quelle horreur! Je pourrai regarder?

Il restait à faire disparaître toute trace suspecte avant l'arrivée du lieutenant civil, dont dépendaient les morts naturelles, les testaments et l'acquittement des taxes sur les successions. Un groupe d'hommes armés de sacs en cuir investit la chambre mortuaire comme un bataillon de croque-morts.

— Messieurs, à vos instruments, dit Hérault.

Ils rhabillèrent la morte en prenant soin d'éviter de faire la moindre tache de sang sur les vêtements propres. Ils parvinrent à détendre ses traits par des massages et la fardèrent si bien qu'elle devint toute pimpante ; on aurait cru qu'elle allait se lever pour aller danser. Voltaire s'inquiéta :

— Et si le lieutenant civil allait la dévêtir ?

— Croyez-moi, dit Hérault : il ne la touchera même pas du bout du doigt.

Le tableau d'une fin paisible entre les mains de la sainte Église était à peine achevé quand M. d'Argouges survint à son tour pour enregistrer le décès de la baronne.

— C'est fou ce qu'on meurt de fluxion, ces temps-ci, dit-il en prenant note des témoignages revus et corrigés par son confrère chargé des questions criminelles.

La police partie, les gens de maison contemplèrent avec effarement la chambre redevenue parfaitement nette et ordonnée où reposait un corps presque souriant, comme si Madame terminait sa nuit par un rêve agréable. Certains restèrent pour la veiller, les autres allèrent se coucher et Voltaire les imita.

On y verrait mieux au jour pour courir aux affaires des vivants.

CHAPITRE CINQUIÈME

Où l'on assiste à l'affreuse bataille
de Voltaire
et d'un ours habillé en comtesse.

Au petit matin, Voltaire, dont le sommeil avait été aussi léger qu'une théorie de Leibniz, fut réveillé par les exempts venus prendre le corps. Ils laissèrent un billet sévère et estampillé par la lieutenance qui conviait l'écrivain à l'ouverture de la baronne, prévue pour la mi-journée. Voltaire décida qu'il serait suffisamment remis de ses émotions dès onze heures tapantes : il avait pour principe de ne jamais manquer un spectacle donné à guichets fermés.

Il avait neigé à petits flocons, juste assez longtemps pour recouvrir les trottoirs d'une surface aussi traîtresse qu'immaculée. C'était un temps à ne pas mettre un macchabée dehors. L'écrivain fit prévenir Linant qu'il avait besoin de lui. Ses formes rondouillardes engoncées dans son habit de religieux, le jeune abbé se présenta discrètement côté jardin, ainsi qu'on le lui demandait, bien qu'il s'étonnât de ces précautions. Voltaire affirma qu'elles étaient nécessaires puisqu'il était, lui, Linant, recherché pour meurtre, ce qui étonna plus encore M. l'abbé. L'écrivain gémit dans son mouchoir, qui absorbait ses larmes.

— On m'a tué ma Fontaine-Martel !

— Avez-vous besoin des secours de la foi ? demanda aimablement Linant.

— J'ai besoin des secours de vos jambes et de vos bras pour fouiller la maison !

Allait-on attendre l'arrivée de la famille pour lancer la chasse au testament, ainsi que l'imposaient les convenances ? Ils se concertèrent, puis se ruèrent sur les clés et ouvrirent tous les meubles.

Si rapides qu'ils soient, ils ne l'étaient pas autant que le vent qui porte les bonnes nouvelles aux oreilles des héritiers.

La neige avait redoublé, on était passé des belles steppes de Russie aux fjords impraticables de la Scandinavie. Dans cette atmosphère de tempête glaciaire, le son de la cloche les fit sursauter alors qu'ils brassaient la correspondance de la baronne, à la recherche de ses dernières volontés.

La personne qui tintinnabulait du côté froid de la porte était la comtesse d'Estaing, la fille de la baronne, plantée sur le perron et armée d'un avoué. En grand deuil depuis plusieurs années, car elle avait successivement enterré père, mari et beau-père dans une série de malchances qui témoignait d'un destin tourmenté, elle avait au moins la consolation de poursuivre sur cette lancée sans avoir eu à se changer.

De son costume entièrement noir émergeait la blancheur éclatante des manches et du jabot de sa chemise, qui soulignait la noirceur du reste. Une courte voilette à la maille serrée qui la couvrait depuis le front jusqu'en haut des joues masquait presque entièrement son regard, que l'on devinait sévère et dur, en partie à cause de cette petite bouche pincée qui ne s'ouvrait que pour poser des questions ou lancer des ordres.

Mme d'Estaing venait se recueillir sur le corps de sa chère mère, ce qui nécessitait, selon elle, la présence d'un homme de loi.

— Vous l'avez manquée, lui annonça la servante. Elle vient de sortir.

— Pour aller où ? demanda la comtesse, fort surprise que ses informations se révèlent erronées.

Madame était partie à la morgue pour son autopsie.

— Et vous l'avez laissé emmener ! s'horrifia sa fille.

Janséniste acharnée, elle fut scandalisée qu'on se permît pareil outrage sur un corps donné par Dieu, à conserver dans le meilleur état possible en attendant la Résurrection. Son premier mouvement fut de courir au Châtelet pour réclamer la dépouille, à qui elle comptait rendre des soins religieux auxquels Mme de Fontaine-Martel ne prétendait pas. Elle hésita cependant à abandonner la maison. Bien qu'elle ne fût plus la bienvenue entre ces murs depuis longtemps, la présence sous ce toit d'un écrivain libre penseur, donc diabolique, ne lui avait pas échappé. Le choix était cornélien. D'un côté, elle pouvait sauver une vieille carcasse à laquelle elle tenait déjà peu du temps où une âme y séjournait encore ; de l'autre gisaient des trésors convoités par une bande de hyènes.

Elle hésita une trentaine de secondes et, finalement, resta.

— Voilà la rançon d'une vie déréglée, remarqua-t-elle avec un soupir pour la pécheresse. On commet toutes les fautes imaginables, on s'attache tous les parasites possibles, et puis l'on crève comme une bête. À peine a-t-on perdu le souffle que des ingrats pillent vos biens et déchiquettent vos abattis.

Elle entendait que ce privilège lui fût réservé, elle avait des vues sur le pillage.

— Nous allons chasser d'ici les rats, les cafards et Voltaire ! décréta-t-elle du ton d'un croisé sous les murs de Jérusalem.

Justement, une perruque en bataille et des bas mal agrafés avaient fait leur apparition en haut des marches. L'écrivain profita de cette heureuse rencontre pour rendre à l'orpheline les condoléances qu'il avait reçues de la police.

— Depuis quand êtes-vous chez ma mère ? interrogea sèchement l'affligée.

— Depuis le mois d'octobre, chère madame.

La comtesse trouva que c'était beaucoup.

— Le mois d'octobre 1731, précisa le valet Beaugeney, qui saisit cette occasion de faire sa cour à la nouvelle patronne.

On était en janvier 1733. La comtesse rougit à l'idée de cette cohabitation d'un an entre sa mère et le propagateur d'idées impies. Il allait falloir beaucoup prier si l'on voulait éviter à la défunte de bouillir dans les enfers qui l'attendaient comme une marmite son lot de moules. Voltaire fut averti qu'il devait sortir de céans.

— Pour aller où ? s'offusqua l'exilé. Dehors ? Là où il fait froid ?

La comtesse se souciait peu des stalactites à la fenêtre.

— Tout est à moi ! déclara-t-elle avec un ample geste de ses manches noires qui évoqua le battement d'aile d'une chauve-souris.

Elle ordonna à son homme de loi de poser des scellés sur les tiroirs, les commodes, les coffres, les placards, les armoires et sur la moindre boîte. Voltaire protesta que certains de ces meubles étaient à lui. On lui rit au nez.

Mme d'Estaing partit de pièce en pièce, jusqu'au toit, à la conquête d'un héritage qui, à l'évidence, avait été très attendu. Tout en haut logeait l'écrivain. La comtesse rechignait à pénétrer dans la chambre d'un célibataire, mais elle se fit violence.

— Ah ! fit l'avoué, qui avait craint que la maison ne contînt que des croûtes et du mobilier usagé. Mme de Fontaine-Martel investissait dans l'art ! Je vois là de très jolis petits tableaux.

— Ce sont *mes* très jolis petits tableaux! protesta le locataire. C'est moi qui investis dans l'art! Votre chère mère avait de grandes qualités, mais non celle de s'entourer de belles choses.

La comtesse lui donna raison sur ce point.

Une seule porte résistait aux appétits triomphants de l'héritière : c'était celle de la chambre secrète, où même Voltaire n'avait jamais pu mettre son nez. À quelque chose malheur est bon, il guetta avec satisfaction l'arrivée de la clé, qu'une servante alla chercher dans la cassette de sa maîtresse pour obéir à la descendante d'Attila le Hun.

La pièce était plongée dans l'obscurité. Les domestiques ôtèrent les volets qui obturaient les fenêtres. On vit que l'on était dans la caverne d'Ali Baba, ou dans une foire aux trésors tenue par un brocanteur peu méticuleux. L'auteur des *Mille et Une Nuits* n'avait pas mentionné la poussière qui s'était déposée sur les richesses accumulées par les quarante voleurs. Elle était toute ici, chez la baronne, avec les toiles d'araignées.

Ce cabinet était un amas d'objets hétéroclites. Ils virent, entre autres, une grosse lanterne métallique, une momie de chat dans son petit sarcophage en bois peint, des terres cuites non identifiées, une mappemonde, des bêtes empaillées à plumes, à fourrure, à écailles, une collection de papillons, des coquillages et, sur l'un des murs, une estampe orientale où des personnages courbés couraient sous la pluie.

Ce fourbi sans le moindre début de cohérence confirma à la comtesse que sa mécréante de mère avait perdu l'esprit.

— Vous me jetterez tout cela aux immondices, ordonna-t-elle aux domestiques.

Voltaire objecta qu'on ne connaissait pas encore avec exactitude les dernières dispositions de la défunte et qu'il fallait séparer ce qui était à elle de ce qui était à lui. Le notaire abonda dans son sens : il tenait peu à se voir citer dans un procès intenté par des héritiers dont les biens auraient fini à la décharge. D'autant qu'il avait entendu la cuisinière glisser à l'oreille de Voltaire, tandis que son employeuse dirigeait le grand menuet des portes et tiroirs : « J'ai maintes fois entendu dire à Madame que sa fille serait bien déçue… »

Si Mme d'Estaing avait le privilège de chasse et de basse justice sur ses fiefs, elle n'avait pas celui de la chicane et de la contradiction à Paris. Voltaire décida de laisser ses tableaux, ses livres et ses papiers à la garde de l'abbé Linant et de courir au Châtelet, signaler des manigances dont il s'estimait la victime.

Auparavant, il lui sembla juste de défendre un peu la mémoire de sa baronne.

— Votre mère n'était pas folle. Elle redoutait une ombre dont elle se disait poursuivie.

— Bien sûr ! s'écria l'héritière. C'est son irréligion qui la tourmentait, c'était le fantôme de sa perdition, le remords de son athéisme, les prémices de l'enfer ! N'avez-vous pas vous-même une ombre qui vous hante ?

Le philosophe répondit que son esprit était en repos, qu'il n'avait point été menacé par un spectre avant qu'elle n'eût mis les pieds dans cette maison. Sur ce, il réclama son chapeau, son manteau, remonta ses bas et gagna d'un pas aussi digne que possible l'univers glissant et hostile qui s'étendait au-delà du perron.

Il ne neigeait plus, mais il faisait presque aussi sombre que si la nuit était tombée au beau milieu du jour. La rue des Bons-Enfants avait été désertée par ses riches habitants, rebutés par le froid et les risques de chute. Voltaire regretta que ses concitoyens ne fussent pas plus téméraires : il aurait préféré voir la rue moins vide, en ces temps de meurtres et de persécutions contre les esprits libres.

Un bruit léger suffit à le faire sursauter, il était sur ses gardes comme un tigre des glaces à l'affût d'un lapin égaré. On piétinait la neige, non loin de là, dans son dos. Cela crissait derrière lui. Il s'arrêta. Le crissement s'interrompit. Reprenait-il, le son étouffé faisait de même. Le phénomène n'était pas de bon augure. Au mieux, il était suivi par des vide-goussets qui attendaient le premier recoin pour l'assaillir.

Il se vit assassiné, le monde des belles-lettres en deuil d'une plume irremplaçable.

CHAPITRE SIXIÈME

Où il est démontré que le grand art de rester en vie consiste à tirer parti de circonstances fortuites.

Un fiacre providentiel approcha au pas fatigué de son cheval. Voltaire discerna la grosse plaque numérotée que le lieutenant de police avait imposée aux cochers pour les dissuader d'écraser les piétons. L'écrivain leva sa canne.

— Êtes-vous libre ? demanda-t-il, bien qu'il fût résolu à s'insinuer dans un convoi de hussards ivres plutôt que de rester tout seul sur ce trottoir.

Il voulut voir un acquiescement dans la réponse indistincte et grimpa dans la carriole. Une fois à l'intérieur, il jeta un coup d'œil par la portière et aperçut des silhouettes qui se rencognaient sous un porche, à trois maisons de là.

Sa vie était menacée. Il existait un corps de métier chargé de faire respecter la vie de Voltaire ; il décida d'aller se plaindre au lieutenant général et demanda qu'on le conduisît au Châtelet.

Alors seulement il découvrit combien l'intérieur de cette voiture était dégoûtant. L'absence de nettoyage était regrettable, car ces endroits servaient aux rendez-vous galants ou crapuleux, autant dire que l'on roulait dans des bouges ambulants. Il se demanda ce qui était le plus malsain, de la rue pleine d'assassins ou de cette banquette crasseuse. Il convenait d'abréger le séjour.

— Sans lambiner, je vous prie ! cria-t-il.

Mieux eût valu s'abstenir de cette recommandation. Les cochers de Paris étaient connus pour s'enivrer avant midi, les gens prudents faisaient leurs visites le matin. Plus ils étaient pris de boisson, plus ils fouettaient les chevaux, plus on allait vite. L'ennui, c'était qu'on allait n'importe comment et sans ressorts de suspension. Voltaire s'accrocha comme il pouvait, secoué et touchant le plafond à chaque cahot. Il avait échappé à des rustres pour tomber aux mains d'un autre. La voiture elle-même se plaignait de ce traitement, elle gémissait de toute part. On ne pouvait deviner qui céderait le premier, de la carlingue ou de son occupant. Celui-ci donna de la canne contre la paroi.

— Vous allez me tuer !

— Si cela arrive, la course est pour moi ! lui répondit l'ivrogne, qui fouetta de plus belle.

Par bonheur, on s'arrêta brusquement au bout de quelques instants. Voltaire était trop heureux d'être entier pour vérifier où il était. Il jaillit hors de cette boîte comme un diable de chiffon.

— Vous devez réparer ce véhicule, dit-il en fouillant dans sa bourse.

— Dame ! fit son guide. Entre l'impôt et le prix du fourrage !

Ce ne fut qu'après avoir payé que le passager jeta un coup d'œil autour de lui.

— Mais où sommes-nous ?

Devant lui se dressait la façade d'un petit hôtel de la rue Traversière. Le cocher expliqua qu'il l'avait mené chez le marquis du Châtelet, de l'autre côté du jardin.

— Je vous ai demandé de me conduire au Châtelet, au siège de la police ! protesta l'écrivain.

— Personne ne demande jamais d'aller là-bas ! se défendit le cocher.

— Quelle idée de me conduire chez les du Châtelet !

— C'est qu'on y vient beaucoup, monsieur.

La remarque suscita un petit intérêt : c'était donc un endroit où il fallait aller ?

— Vous êtes aussi bien là ! conclut le cocher. Pour le prix de la course, je vous informe sur les endroits à fréquenter !

Il lança son cheval et s'éloigna sans plus de discussion.

L'inconvénient d'avoir parcouru si peu de chemin, c'était que les bandits avaient fort bien pu le suivre et, dans ce cas, ils ne tarderaient pas à le rejoindre. Des formes trop vagues pour n'être pas inquiétantes tournèrent le coin de la rue, qui était plongée dans une semi-obscurité.

La neige reprenait. Le Châtelet était loin. Au moins dans cette maison-là y avait-il de la lumière.

Voltaire tira le cordon.

La marquise du Châtelet, dont le mari vivait pour ainsi dire à l'armée, était à son secrétaire et tentait de résoudre un difficile exercice de calcul imposé par son professeur. Une servante l'avertit qu'il y avait en bas un monsieur dépenaillé qui parlait de police, de fiacre et de « philosophie sans utilité pour le moment ».

La première vision qu'Émilie eut de Voltaire, du haut de l'escalier, fut celle d'un petit homme en perruque trop crêpée, qui guettait à travers le carreau du vestibule pour tâcher de voir si on ne l'avait pas suivi jusque dans la cour. Elle descendit quelques marches, une main sur la rampe.

— Monsieur ?

Le visiteur leva la tête. Il découvrit une grande dame brune, aux longs cheveux bouclés comme ceux d'une enfant. Elle était enceinte comme une femme de vingt-six ans qui a passé l'été avec son mari six mois plus tôt. Il se présenta et la pria de l'excuser d'être venu sans se faire annoncer :

— Un butor de cocher m'a conduit chez vous au lieu du Châtelet !

— Cela arrive, mais en général les personnes s'en rendent compte avant de frapper.

La conversation d'un Voltaire, même couvert de neige, était un cadeau du ciel pour une marquise enceinte qui s'ennuyait un jour d'hiver.

— Je ne suis pas le lieutenant général de police, mais je peux vous offrir les secours d'un fauteuil, d'un feu, d'un chocolat chaud et d'une oreille attentive.

— Vous valez donc mille fois M. Hérault! répondit l'écrivain.

Ils passèrent dans un petit salon où son hôtesse fit allumer du feu. Une fois la conversation engagée, il apparut que la marquise avait déjà rencontré Voltaire dans son enfance, alors qu'elle s'appelait encore Mlle de Breteuil :

— Vous êtes venu chez mon père quand j'avais douze ans; vous sortiez de la Bastille. Vous êtes revenu chez nous quand j'en avais dix-huit; vous vous releviez de la vérole.

La lumière se fit dans l'esprit de l'écrivain.

— La petite Émilie! La *grande* Émilie! rectifia-t-il à la vue du ventre. Aujourd'hui, je suis poursuivi par la peste! Sauvez-moi!

— Pourrais-je refuser de perpétuer la tradition familiale?

Il avait des raisons de croire qu'on en voulait à sa vie.

— Pourquoi ça?

— Parce qu'il y a toujours quelqu'un qui en veut à ma vie. Ces jours-ci, une ombre rôde sur mes talons.

L'assertion appelait vérification. Émilie pria la servante d'aller lui chercher l'étui oblong qui était dans son cabinet. Elle en retira une lunette d'observation.

— Croyez-vous voir la Lune, par ce temps ? s'étonna l'écrivain.

Elle la pointa sur la rue Traversière.

— Les trois trognes que j'aperçois devant chez nous ne sont pas celles de sélénites.

Voltaire réclama l'instrument : il voulait voir ses assassins. Ceux-ci avaient des faciès peu engageants. Il demanda si les gens de Mme la marquise ne pouvaient pas les disperser à coups de bâton. Émilie estima qu'il valait mieux ne pas se mettre à dos de telles personnes.

— Pourquoi ? Qui croyez-vous qu'ils sont ? Une société secrète ? Des tueurs à louer ? Des espions du Grand Turc ?

— Pis que cela. Je crois qu'il s'agit de policiers en service.

— La police ! s'écria Voltaire. Je suis perdu !

Elle lui fit servir un alcool fort en plus du chocolat et s'efforça de le consoler. Quel honnête sujet de Sa Majesté pouvait-il avoir peur des forces de sécurité ?

— Vraiment, vous êtes cruelle de vous moquer, se plaignit-il. On brûle chaque année « d'honnêtes sujets de Sa Majesté ». Et, franchement, avec ce que j'ai publié, il y a de quoi allumer des fagots. Non, non, j'aimais mieux les malfrats !

— Par chance, nous avons une entrée sur l'autre rue, indiqua la marquise. Vos poursuivants n'ont pas des têtes à numéroter les issues.

— Je croyais écrire pour passer par les grandes portes et je me vois contraint de filer par les petites ! se lamenta l'écrivain.

Tandis qu'on préparait sa sortie, elle le pria de lui exposer ses malheurs, qui seraient toujours plus divertissants que la grossesse et les algorithmes.

— Voilà les faits comme ils se sont produits. Vous verrez, c'est très simple. Un fourbe sans scrupule m'a dérobé quarante mille livres en la personne d'une brave amie qui m'adorait et qu'on ouvrira tout à l'heure, un policier me soupçonne de moins aimer la plume que le poignard, une comtesse janséniste veut me spolier de mon matelas et de mes paysages, et voilà comment les philosophes se retrouvent à la rue !

« Ou dans mon salon », pensa Émilie, qui sortait de ce récit plus étourdie que si un tourbillon eût traversé la pièce.

— Mais je vous ennuie avec mes déboires, dit Voltaire. Vous avez un mari, des enfants, un intérieur, une vie passionnante…

La jeune femme se leva de sa bergère.

— Donnez-moi un quart d'heure pour me changer !

Le mari qu'on la félicitait d'avoir était toujours à la guerre, ses enfants, en bas âge et bruyants, sa vie, moins passionnante que plate, et elle ne voyait rien de plus ennuyeux que d'être enceinte en hiver.

— Avez-vous votre voiture ? lui cria le typhon à perruque. Vous êtes ma providence ! On m'attend à un spectacle !

Un quart d'heure plus tard, le carrosse de la marquise quittait l'hôtel du Châtelet par la rue

Traversière. Il ne transportait aucun passager, aussi les guetteurs restèrent-ils où ils étaient. Le cocher fit le tour du pâté de maisons, vint s'arrêter devant l'entrée de service, et les fugitifs s'empressèrent de monter. Émilie ordonna de les conduire au quartier général de la police :

— Ne vous arrêtez nulle part, nous sommes poursuivis par des meurtriers.

— Bien, madame.

Pour passer le temps, Voltaire lui raconta les derniers événements de sa vie : la mort de M. de Maisons, la mort de la baronne et celles de quelques autres bons amis avant eux.

— Ne trouvez-vous pas que l'on meurt beaucoup, autour de vous ? s'inquiéta son auditrice.

Elle espéra que cette existence de philosophe n'était pas si morbide qu'elle le paraissait.

— À quel spectacle m'emmenez-vous ? demanda-t-elle.

C'était à une autopsie.

CHAPITRE SEPTIÈME

Comment Voltaire observa l'intérieur d'une baronne philosophe et y trouva davantage d'entrailles que de philosophie.

Voltaire ne doutait pas que l'ouverture de Mme de Fontaine-Martel fût un divertissement recherché par toutes les femmes d'esprit. Il n'était pas sûr, néanmoins, que les autorités le laisseraient inviter du monde. M. Hérault se ferait sûrement tirer l'oreille pour accepter des spectateurs à une autopsie dont la conclusion relèverait forcément du mensonge.

La voiture de la marquise les déposa devant la basse-geôle du Grand Châtelet, une affreuse et grosse bâtisse pleine de tours à toits pointus. Avec sa silhouette qui désespérait les malandrins et inquiétait les honnêtes gens, cette forteresse aurait été à sa place en Dordogne, sur une éminence, au-dessus d'un torrent. En plein Paris, c'était une verrue médiévale aussi sinistre que la Bastille. Voltaire lui-même, bien que d'une honnêteté irréprochable, ne put s'empêcher de frémir.

— Voilà un donjon où l'on aime moins entrer que d'en sortir. Allons! Courage! C'est pour la cause philosophique!

Ayant fait entrer la philosophie dans le fief de la force publique, il demanda où était la morgue.

D'un côté se dressait l'aile dévolue à la lieutenance de police, qui dépendait du ministre de l'Intérieur. Dans l'autre siégeait le lieutenant civil de justice, aux ordres du prévôt de Paris, l'ancienne juridiction. Entre les deux, la cour était divisée par une ligne de front presque visible. Le lieutenant général apparut au bas des marches qui menaient à ses bureaux.

— Tenez, Arouet! Puisque vous êtes là, j'ai une pile de poèmes interdits dont nous recherchons les auteurs. Voulez-vous voir avec moi lesquels sont les vôtres?

— Gageons que notre police attraperait davantage de voleurs si elle s'intéressait moins à la poésie, répondit l'intéressé.

— Aucun voleur ne fera plus de mal qu'un écrivain, rétorqua Hérault de sa voix de basse profonde.

Il jaugea de l'œil la représentante du beau sexe qu'on lui amenait sans prévenir.

— Madame aussi est philosophe, sans doute?

Il la pria de s'en retourner. Il n'était pas question de répandre le bruit que des personnes de qualité étaient assassinées dans leur lit en plein Paris.

— « Des » personnes de qualité? releva Voltaire. Il y en a donc eu d'autres?

— Oh, vous n'imaginez pas ce qui se passe en réalité dans cette ville, dit Hérault. Et ne comptez pas sur moi pour vous l'apprendre.

La marquise devina pourquoi Hérault s'entêtait à faire passer ce décès pour naturel. S'il y avait crime, le parlement de Paris s'en saisirait, réclamerait de conduire les recherches, crierait au scandale ; en fin de compte, on n'en saurait jamais davantage et la lieutenance serait blâmée pour son échec. Le lieutenant général et ses supérieurs préféraient mener une enquête discrète sur un meurtre qui, officiellement, n'avait jamais été commis.

— Et quid des assassins, quand vous les tiendrez ? s'enquit Voltaire, dont la logique indéfectible entrevoyait une faille dans ce bel agencement.

— Ce ne sera pas la première fois qu'un gêneur disparaît, répondit le policier, d'une voix que l'écrivain aurait aimée moins sépulcrale.

Voltaire déglutit péniblement.

Émilie expliqua au lieutenant général pourquoi elle devait assister à l'autopsie :

— Si vous la laissez voir à notre ami, c'est que vous attendez de lui une aide dans laquelle je ne lui serai pas inutile.

Hérault souleva imperceptiblement le sourcil droit, signe d'une intense surprise.

— Ah. Un Voltaire en jupon. Eh bien, madame, recevez le prix de votre raisonnement, puisqu'il paraît que la chirurgie est le délassement des dames nobles.

Maintes fois Émilie s'était entendu traiter de femme, voire de femme savante ; « dame noble » était nouveau. Il était temps de mater le mâtin.

— Cher monsieur Hérault, vous avez des yeux de bon chien fidèle. Vous voudrez être un gentil toutou, j'en suis sûre, et non un dogue.

Hérault souleva l'autre sourcil. Il était rare qu'on osât lui parler sur ce ton, à lui, chef de la sécurité du royaume le plus puissant du monde.

Quatre hommes apportèrent le corps enveloppé dans un linceul. Leur patron ouvrit la marche, Voltaire et la marquise suivirent. L'écrivain était ahuri de l'audace dont faisait preuve sa nouvelle alliée.

— Je ne crois pas que M. Hérault soit une sorte de chien qu'on apprivoise, dit-il à mi-voix.

— Vous verrez qu'il aboiera, promit Mme du Châtelet.

À l'avant du cortège, un exempt conseilla au lieutenant de jeter ces gens-là dehors avant de s'en voir envahi.

— Ouif, aboya René Hérault en guise de réponse.

On s'apprêtait à descendre dans la cave quand le lieutenant civil traversa la cour de toute urgence pour demander ce que c'était que ce cadavre.

— Il s'agit d'examiner une femme soupçonnée d'avoir eu la peste, dit Hérault.

M. d'Argouges eut un mouvement de recul qui n'excluait pas la méfiance.

— Et vous y emmenez Voltaire ?

Hérault se rapprocha pour lui confier un secret.

— Entre nous, si quelqu'un doit attraper la peste…

M. d'Argouges admit la pertinence de cette initiative. Il laissa ces téméraires descendre dans leur sous-sol malsain. Voltaire pouvait désormais s'attendre à se voir convier à toutes les autopsies pour suspicion de choléra ou de petite vérole.

Un escalier étroit ouvrait sur une salle éclairée par de grands candélabres. On avait aussi allumé deux braseros qui répandaient une chaleur douce. Toujours recouvert de son drap blanc, le cadavre avait été déposé sur une longue table. Deux messieurs en tablier de boucher préparaient des instruments dont la seule vue aurait fait avouer les accusés les plus récalcitrants. Hérault avait recruté un chirurgien de l'Hôtel-Dieu qui présentait l'avantage d'avoir beaucoup vu de dépouilles en tous genres. Il était assisté d'un garçon d'hôpital dont l'habileté dans le maniement de la scie et des ciseaux pouvait le faire prendre pour un charpentier.

Le chirurgien annonça le sujet de sa mission : étudier les restes de « haute et puissante dame de Fontaine-Martel », afin de définir les circonstances exactes de cette mort naturelle qu'on lui avait infligée d'un coup de poignard.

— N'est-il pas d'usage de convoquer aussi un médecin diplômé ? dit Voltaire.

— Quand on veut que toute la Faculté soit mise au fait, oui, répondit Hérault.

Ayant ôté le drap, le chirurgien découvrit avec surprise les fards appliqués sur le visage et sur le cou de la victime. Sa première remarque fut que l'assassin avait pris soin de maquiller son forfait pour le rendre invisible au néophyte.

— Voilà une fière crapule !

— Non, c'est nous, l'informa le lieutenant de police. Le crime est sous les apprêts.

Le chirurgien eut l'air de juger qu'on ne lui facilitait pas la tâche. Il commença par ôter crèmes et poudres à l'aide d'un linge humide. Des marques noirâtres apparurent à la base du cou. Hérault mit les témoins en garde :

— Si quelque chose transpire de cette affaire, je saurai que cela vient de vous.

— Et pourquoi pas d'un de ces deux messieurs ? protesta Voltaire.

— Avec ce que je sais de l'un et de l'autre, je les tiens aussi bien qu'une souris dans la mâchoire d'un chat, affirma le lieutenant avec son sourire à refroidir un feu de la Saint-Jean.

L'assistant ôta la charlotte et la chemise de nuit dont la défunte était vêtue. Il souleva aussi le pansement à l'aide duquel les exempts avaient bouché la plaie béante de sa poitrine. L'homme de l'art examina à la loupe la bouche et les narines, dont il retira, à l'aide d'une pince minuscule, des objets trop petits pour que les observateurs pussent voir ce que c'était. Il mesura la largeur et la profondeur de la plaie, retourna le corps à la recherche d'autres traces, puis procéda à l'ouverture de la cage thoracique à l'aide d'une grosse lame, avant de laisser l'assistant scier les côtes. Une fois le buste ouvert en grand, ils en retirèrent les organes un à un.

Le spectacle était plus violent que Voltaire ne l'avait supposé. L'écrivain était au bord de l'écœurement. La marquise, en revanche, suivait tout cela d'un œil serein.

— N'êtes-vous pas indisposée de voir les entrailles de cette dame ? demanda-t-il.

— Je n'ai pas eu l'occasion de lui être présentée, elle me fait le même effet qu'un quartier de bœuf.

Elle flancha néanmoins à la vue du foie, que deux mains écarlates retiraient de la carcasse et déposaient dans une écuelle vernie.

— Je viens de me souvenir que nous nous sommes saluées, il y a un an, à l'opéra, murmura-t-elle en détournant les yeux.

Hérault était las de ces formalités répugnantes, il désirait les voir cesser, d'autant qu'il ne s'attendait pas à des révélations extraordinaires.

— Allons, messieurs. Dites-nous quelle mort naturelle est résultée de cet assassinat.

Au risque de le décevoir, le chirurgien annonça que la victime n'avait pas succombé à un coup de couteau. Elle avait été empoisonnée, poignardée, étranglée et étouffée, dans cet ordre précis.

— J'en déduis que cette dame avait beaucoup de relations, dit le lieutenant général. Pour lequel de ces sévices vous inscrivez-vous ? demanda-t-il à Voltaire.

L'estomac de la défunte était rempli de mucosités noires, rouges et vertes. Des traces de doigts étaient bien visibles autour du cou. Le poumon était sclérosé, les lèvres bleues, et les petites veines des yeux avaient éclaté.

— Nous savons que cette dame a dîné, dit le chirurgien, d'où la présence du poison. À cause de cette ingestion, elle se sera sentie mal et aura gagné son lit. Nous voyons qu'elle a été poignardée, mais aucun organe vital n'a été atteint. Il y a des traces de sang sur la nuque, ce qui signifie qu'on s'est avisé de l'étrangler *après* l'avoir fait saigner. C'est cependant la paralysie des voies respiratoires qui a entraîné la mort, comme nous le montrent l'état de ces organes et l'éclatement des veinules. La gorge contenait des fibres qui m'ont tout l'air de venir de taies en coton. J'en déduis qu'on l'a finalement étouffée avec son oreiller. C'est là ce qui lui a été fatal. On peut dire que quelqu'un voulait vraiment empêcher la baronne de terminer sa nuit !

Pour la version officielle, on s'en tint à l'étouffement, et le rapport conclut à une fluxion de poitrine foudroyante.

Les visiteurs laissèrent M. Hérault ratifier cette œuvre de fiction et se dirigèrent à grands pas vers la sortie. L'écrivain était agacé de se voir mêler à pareilles horreurs.

— Je ne comprends pas ces persécutions, se plaignit-il, une fois dehors. Je ne suis qu'un auteur, j'écris des tragédies en vers, des ouvrages d'histoire, je ne suis que Voltaire – et même, quelquefois, je pousse la modestie jusqu'à ne pas signer !

Il donna la main à Émilie pour monter en voiture et la rejoignit sur la banquette. Ils étaient aussi éreintés que s'ils rentraient d'avoir gravi le coteau de Montmartre. Quoique la vue d'un mort soit un bon moyen de se rappeler qu'on est vivant, dans le cas présent le rappel ne s'était pas opéré dans la douceur. Il convenait de chasser au plus vite ces images morbides.

— Eh bien ? dit l'écrivain. Que ferons-nous, maintenant que ma pauvre vieille amie n'a plus rien à nous cacher ?

Mme du Châtelet frappa à la cloison et pria son cocher de les mener au Palais-Royal.

— Je n'ai jamais vu la maison d'une baronne morte.

CHAPITRE HUITIÈME

Où l'on voit nos héros se nourrir
de poisons et se chauffer
aux documents notariés.

— Jolie maison, dit Émilie. Avec vue sur le parc ! Est-elle à louer ?

Voltaire répondit qu'on n'en ferait rien tant que ses meubles, livres et matelas seraient bloqués à l'intérieur, que les héritiers se déchireraient et qu'un assassin serait à ses trousses. La résolution de ces problèmes passait en premier lieu par la découverte du testament et du meurtrier.

Cette perspective emplit la marquise de félicité.

— Chasserons-nous d'abord l'empoisonneur, l'étrangleur, l'homme au couteau ou l'étouffeur de vieilles dames ?

— Nous chasserons les quatre ensemble et attraperons celui qui se présentera, s'il ne nous attrape le premier.

Ils trouvèrent Linant dans la salle à manger, occupé à se goinfrer de biscuits.

— Hé, malheureux ! s'écria Voltaire. Vous mangez les indices !

L'origine de l'empoisonnement n'avait pas été tirée au clair. Au moins savait-on désormais que les biscuits n'étaient pas en cause. L'écrivain présenta à Émilie ce gros abbé de dix-neuf ans dont la baronne n'avait pas voulu, mais qu'il avait fait venir dès qu'elle avait poussé le dernier soupir. Puis il pria sa visiteuse de l'autoriser à se mettre à l'aise et appela une servante.

— Monsieur va résider avec vous ? demanda celle-ci avec un geste en direction de l'abbé qui s'empiffrait.

Le nouveau maître de maison répondit que oui, il ordonna qu'on préparât une chambre et ajouta à l'intention de la marquise :

— Parasite chez les autres, j'aime en avoir chez moi.

Il enfila une robe d'intérieur fourrée, un vilain bonnet de velours, des pantoufles, et se contempla dans le miroir de la cheminée pour vérifier qu'il était habillé en Voltaire. Comme put le constater la marquise, il suffisait de peu de chose pour attraper le grand chic philosophique.

L'écrivain entreprit de lui faire visiter la demeure sous l'œil ahuri des domestiques, mais s'interrompit, horrifié, en constatant que ceux-ci étaient en train de piller ce qu'ils pouvaient, au mépris des injonctions de l'avoué. Principalement, ils se remplissaient les poches avec l'argenterie. Mme de Fontaine-Martel leur devait trois mois de gages et, s'ils devaient rester pour servir Monsieur, il allait falloir les dédommager.

Voltaire les menaça de sa canne, dont la poignée en métal était à bec-de-corbin, c'est-à-dire en forme de marteau :

— Méfiez-vous ! Ce bâton est de nature à terrasser de plus fortes têtes que les vôtres !

Il l'emportait partout. Émilie reconnut le modèle : une canne à secret, généralement dotée d'une épée dissimulée dans un bois creux.

— J'ai dans cette canne une arme irrésistible ! reprit le héraut de la philosophie combattante.

Les messieurs qui ne désiraient pas porter l'épée, instrument encombrant et apanage de la noblesse, mais qui ne souhaitaient pas rentrer chez eux sans défense à la nuit tombée, se munissaient d'un tel accessoire.

Émilie avait, quant à elle, une autre manière de se concilier le personnel. Elle affecta de compatir à leurs difficultés et distribua des subsides.

La visite lui avait ouvert l'appétit, elle émit le souhait de se faire servir à manger. Voltaire prévint la cuisinière qu'il fallait éviter certains mets : la baronne avait été empoisonnée.

— Mais... Je pensais qu'elle avait été poignardée ! balbutia la pauvre femme, qui avait fort bien vu la plaie dans la poitrine de sa maîtresse.

— Cela aussi. C'est un assassin qui ne fait pas les choses à moitié.

Comme elle s'inquiétait de savoir ce qu'elle pouvait cuisiner, on l'accompagna dans les communs afin d'examiner les réserves. On fit une liste des denrées consommées par Mme de Fontaine-Martel le jour de sa mort et l'on chercha leur origine. Il y avait principalement les confitures normandes et le marcassin de M. Clément, receveur des tailles à Dreux. Pour le marcassin, l'analyse était compromise : il n'en restait pas même les os. Cela dit, toute la maisonnée y avait goûté, hormis le destinataire, ce perpétuel martyr sacrifié sur l'autel des égoïsmes humains.

Voltaire réalisa subitement que c'était à lui qu'avait été adressé ce gibier. N'était-il pas la véritable cible ? Cette idée lui causa un tremblement, ses mains étaient glacées, il se laissa tomber sur un tabouret et refusa le cordial douteux qu'on lui offrait.

Selon Émilie, il fallait définir de quelle manière la baronne avait absorbé le poison : quand ils sauraient comment, ils sauraient qui.

— Oui, oui ! fit Voltaire. Trouvons l'empoisonneur qui en veut à ma vie !

La marquise se fit indiquer la composition exacte des agapes solitaires. Bien sûr, il y avait aussi la petite tisane du coucher, pour aider à digérer tout ça. Il s'agissait, ce soir-là, d'une camomille qui aidait à jouir d'un bon sommeil. La baronne la mêlait de miel, de fleur d'oranger, et y trempait un ou deux biscuits en attendant que ça refroidisse. Pareille soupe aurait suffi à la nourrir, elle aurait pu en faire son dîner.

Ils poursuivirent leurs recherches dans la chambre de la défunte. Personne n'avait pris la peine de préparer le feu. Mis à mal par ces émotions, Voltaire grelottait sous son épaisse pelisse.

— Qu'il fait donc froid ! Je rêve de ces pays où l'hiver ne vient jamais.

— J'ai ouï dire qu'on y débat très peu de sujets philosophiques.

— Quand je vois de quelle manière les philosophes sont traités sous nos climats, je me dis que je pourrais aussi bien m'en aller voir quel sort on leur réserve chez les Zoulous.

Comme nul ne venait les aider, bien qu'on eût fait tinter la clochette posée sur la table de nuit, Émilie se résigna à déposer elle-même du petit bois dans la cheminée, tandis que Voltaire s'emparait d'une bûche. Elle l'arrêta et se pencha pour saisir quelque chose.

— Il semble qu'on allume ici les feux avec la fortune des autres, dit-elle.

Elle tenait entre deux doigts un morceau de papier presque entièrement consumé.

— Ce sont sans doute de vieux brouillons, dit Voltaire, pressé de fourrer sa bûche dans la cheminée.

— De vieux brouillons qui portent le cachet d'un notaire, fit observer Émilie en plaçant sous son nez un fragment de texte où un tampon à l'encre rouge était encore visible.

Voilà qui n'annonçait rien de bon quant aux recherches testamentaires.

CHAPITRE NEUVIÈME

Comment nos héros manquèrent
la migration des testaments volants.

Ils en étaient là de leurs réflexions quand la lectrice, Mlle de Grandchamp, parut sur le seuil de la pièce. Elle avait sa capeline. Ses boucles rousses et la vivacité de ses yeux bleus étaient de nature à attendrir tous les philosophes du monde.

— Vous sortez, mon enfant ? demanda Voltaire.

Elle allait chez le notaire de Madame, consulter le testament par lequel elle accéderait enfin au statut de fille à marier. Toute la famille s'y était donné rendez-vous. Les enquêteurs décidèrent d'y aller comme les autres. En personnes de bon ton, ils avaient coutume de se présenter partout sans y avoir été invités, persuadés qu'on serait content de les y voir.

Ils laissèrent la maison à la garde de Linant, avec ordre de ne laisser personne fouiller, piller, voler, escamoter ou dévorer quoi que ce fût sans l'approbation de l'écrivain.

L'étude notariale n'était pas bien loin, on pouvait marcher jusque-là ; une petite promenade de funérailles, en quelque sorte. Aux alentours du Palais-Royal se côtoyaient vraies duchesses au sang bleu et comtesses de pacotille tenancières de tripot, jeunes filles très prudes à épouser pour la soirée, fanfreluches délicates dans les boutiques qui devenaient du plus mauvais goût sous les jupes des passantes ; le bel air côtoyait la lie, c'était la marque du quartier.

Place des Victoires, trois carrosses arrêtés devant l'un des hôtels tous identiques déversaient leurs cargaisons d'héritiers putatifs. Émilie reconnut les armes peintes sur les portières. Il y avait celles des Martel de Clère, cousins par alliance de la baronne, celles de Mme d'Estaing, sa fille, et celles de la vicomtesse d'Andrezel, tante de Mlle de Grandchamp, cette jeune personne à qui l'on avait beaucoup promis.

Tout le monde était arrivé en même temps et dans la même fébrilité. On se saluait avec froideur, on se guettait, on échangeait des banalités acides, mais on s'entendait sur un point : il importait de faire toute la lumière sur les dernières volontés de la chère défunte, et au plus vite. L'incertitude était insupportable, on ne savait s'il fallait chérir la mémoire de la bonne dame ou vouer la vieille avare aux gémonies ; dans l'entre-deux, on était condamné à verser des larmes qui coulaient avec difficulté.

Le notaire et ses clercs étaient aux fenêtres.

— Qu'est-ce donc que ce rassemblement ? dit Me Momet. Une émeute ? Une révolution ?

Les héritiers bousculèrent le portier et montèrent s'enquérir de la réalité de leurs espérances. Ils trouvèrent l'avoué et ses employés occupés à cacher des dossiers sous des lattes du plancher. L'idée était venue à Me Momet qu'on s'en prenait à lui pour une autre affaire, délicate et compliquée, qu'il ne souhaitait voir ébruiter à aucun prix.

— Maître, déclara la vicomtesse d'Andrezel, qui avait pris la tête du détachement d'héritières, le décès de Mme de Fontaine-Martel sera revenu à vos oreilles.

— Il faudrait être sourd, répondit le notaire.

L'étude se trouva tout à coup fort encombrée. On avança des sièges pour les dames.

Elles ne restèrent pas longtemps assises.

Soulagé de pouvoir ressortir ses dossiers du plancher sans crainte de la police, le notaire accepta volontiers de leur donner lecture du document, bien qu'une personne au moins, précisa-t-il, n'eût rien à faire là.

Voltaire se sentit visé. Ce fut cependant sur la belle Victorine que se braqua le regard de leur hôte. Me Momet n'avait pas souvenir que la défunte eût avantagé cette demoiselle dans la dernière mouture de son testament. Cette idée scandalisa Mme d'Andrezel.

— Comment ! On prend chez soi ma nièce, on la loge, on la nourrit, on la vêt, et on refuse de faire sa fortune? Nous prend-on pour des domestiques?

Ayant ouvert son coffre, le notaire pâlit. D'une voix nerveuse, il demanda à son premier clerc s'il avait déplacé le dépôt de Mme de Fontaine-Martel. Il fallut se rendre à l'évidence : on avait pléthore d'héritiers, mais, de testament, point.

Ces dames bondirent de leurs fauteuils.

Leur seconde réaction fut de menacer l'avoué d'un procès : la perte d'un document confié à sa garde était une faute grave, on l'accusait de concussion.

La menace fut loin de faire trembler l'homme de loi. Accoutumé à ces sortes de propos, il leur rétorqua que seule une personne ayant intérêt à cette disparition avait pu l'organiser et que le procès pourrait fort mal se terminer pour certains d'entre eux.

Au reste, tout n'était pas perdu : la testatrice possédait une copie certifiée de ses dernières volontés. Le plus simple était de retrouver cette pièce, qu'elle conservait certainement chez elle.

Voltaire et Émilie avaient lieu de croire que la piste ne mènerait pas loin.

Soucieux de parer au plus pressé, les visiteurs outragés remirent à plus tard les procédures légales. Ils laissèrent le notaire à sa propre enquête. Me Momet ne devait pas être si certain que le voleur ne faisait pas partie de son personnel, car il réunit tous ses garçons, dès que la porte fut fermée, pour les tancer comme jamais.

Les héritières avaient leurs voitures, aussi Voltaire et Émilie arrivèrent-ils les derniers rue des Bons-Enfants, alors que la foire aux vieux papiers avait déjà commencé. Une petite foule avait investi la maison de la baronne pour vider ses tiroirs, ses armoires, retourner ses matelas, en prenant garde, toutefois, de ne rien endommager, car tout était potentiellement à chacun d'eux. Ce saccage de bonne tenue avait lieu sous les yeux du gros Linant, qui avait lancé de son côté un nouvel assaut contre les biscuits, au cas où ces excités délaisseraient les commodes pour le jeter dehors le ventre vide.

Entre deux tiroirs, on s'invectivait sans retenue. La vicomtesse d'Andrezel, qui affectionnait les couleurs vives et portait ce jour-là un habit vert digne d'un scarabée égyptien, avait la mine d'une femme honnête mais peu conciliante. Elle défendait vigoureusement la cause de sa nièce, qu'elle avait prise sous son aile. Elle s'opposait à Mme de Clère mère, qui avait elle aussi une demoiselle à caser, et à la comtesse d'Estaing, qui était de taille à se défendre toute seule. La comtesse de Clère était habillée dans des tons rouge sombre ; avec la robe et le surtout de la vicomtesse, on aurait dit une pomme trop mûre et une pomme verte qui se chamaillaient dans le cageot d'un maraîcher.

La vicomtesse d'Andrezel en appela aux mânes de son mari, mort au service de la Couronne pendant son ambassade à Constantinople.

La comtesse de Clère cita le sien, un officier défunt, et cela tourna à la bataille de fantômes.

Fort énervée, Mme de Clère s'en prit à Voltaire, qui contemplait ce spectacle en prenant mentalement des notes pour sa prochaine tragédie, un drame intime chez les Atrides qui s'annonçait plein de sang et de fureur.

— Que faites-vous ici, vous ? Vous n'espérez pas figurer sur le testament, je pense ?

Mme d'Estaing émit un ricanement.

— Ici, même les murs espèrent hériter !

Voltaire se drapa dans une invisible toge socratique.

— J'habite ici, madame. D'ailleurs, je monte chez moi.

Ayant posé le pied sur la première marche, il se ravisa.

— Voulez-vous des confitures ? demanda-t-il à ces odieuses bonnes femmes, bien qu'il ne fût pas certain qu'il existât un poison capable d'attaquer des natures aussi coriaces.

Il leur abandonna le rez-de-chaussée et emmena Émilie vers le cabinet de curiosités.

— Ma défunte Barbe-Bleue tenait une pièce fermée à clé où nul ne pouvait pénétrer, expliqua-t-il en désignant la porte close.

La situation avait changé, aucune porte n'était capable de résister à la vague tourbillonnante qui venait de submerger la maison. Ils furent aussitôt rejoints par les héritières, l'une entraînant l'autre, aucune n'acceptant de se laisser distancer.

Le cabinet à nouveau ouvert, ces dames y jetèrent un coup d'œil avide. Elles aperçurent, dans la pénombre, des animaux empaillés, un buste d'homme en cire dont on découvrait les organes internes – heureusement, il ne descendait pas plus bas que la taille –, de petites bonnes femmes en terre cuite qui paraissaient grecques, un galion en réduction qui semblait voguer sur la table toutes voiles dehors ; enfin, tout un fatras couvert de poussière. Elles furent convaincues d'avoir sous les yeux le côté philosophique, obscur et même pouilleux de la défunte. On s'en alla fouiller dans ce qui était propre et sain.

Cette séance ne rehaussa pas l'idée que Voltaire se faisait de la société humaine, et notamment de sa composante féminine, pourtant sa préférée.

— Ces femmes ne me vont pas au teint, déclara-t-il.

Il avait tendance à diviser l'humanité entre « ses amis » et « ses ennemis », et ne voyait décidément ici que des personnes de la seconde catégorie.

— Ne soyons pas manichéens, objecta Émilie. Nulle chose ne serait être toute blanche ou toute noire.

— Certes, dit le philosophe. Il y a aussi les choses toutes grises.

CHAPITRE DIXIÈME

Où l'on découvre
que des messieurs très sérieux
peuvent s'adonner à des loisirs
totalement stupides.

Puisque la rapacité avait entraîné les chasseurs d'héritage vers d'autres régions de la géographie martellienne, nos héros purent enfin se consacrer au cabinet de curiosités, terrain de jeu idéal pour chercheurs excentriques, rempli de bêtes mortes et de crânes humains aux déformations improbables. Ils y débusquèrent une sorte de vieille pomme brunâtre, parcourue de coutures inquiétantes, dont l'étiquette assurait qu'il s'agissait d'une tête réduite en provenance des Indes de l'Ouest. Ils exploraient un cénotaphe voué à la conservation de reliques profanes qui témoignaient du génie universel de l'humanité – une humanité certes un peu dérangée. Ils avaient d'abord cru à un « enfer » dédié au culte d'Éros et de Vénus; il s'agissait plutôt d'un enfer tout court.

— Voilà qui est fort intéressant, dit Voltaire en examinant une mâchoire d'apparence minérale, trop large pour avoir outillé un crocodile. Je ne m'explique pas que ma vieille amie m'ait caché cet endroit. J'ai l'esprit assez ouvert pour apprécier l'éclectisme.

Émilie avait sa théorie :

— Nous sommes dans une maison de poupées pour grandes personnes.

C'était la cour de récréation de la baronne, un jardin secret peuplé d'aimables monstruosités. C'était son territoire le plus intime, la marquise pouvait comprendre qu'elle n'ait pas eu envie de le voir piétiné par des étrangers, fussent-ils aussi discrets et respectueux d'autrui que leur cher philosophe. Elle le comprenait d'autant mieux qu'elle possédait elle-même une telle pièce, à cette différence près que la sienne n'était pas consacrée aux infinies petites horreurs créées par la nature et par les hommes, mais aux splendeurs mathématiques, à l'étude de la physique et des sciences en général, toutes sortes de matières qui lui permettaient de se sentir exister sans qu'elle eût de comptes à rendre à quiconque.

Plutôt que de s'interroger pour savoir s'il avait fait partie des « aimables monstruosités » dont la dame avait eu plaisir à s'entourer, l'écrivain se pencha sur une pile de vieux journaux. Il y avait là une collection complète du *Journal des sçavans*, mensuel consacré aux événements scientifiques contemporains. Mme de Fontaine-Martel devait s'y être fournie en sujets de conversation à replacer dans les salons. Les articles étaient illustrés de gravures sur bois pour l'agrément et l'édification des lecteurs.

— Ma lecture favorite ! dit Émilie en se penchant sur l'épaule du philosophe.

Voltaire s'étonna qu'elle connût un périodique aussi austère.

— Où prendrais-je des renseignements sur les monstres à deux têtes, les habitants de la Lune, ou même sur des questions un peu farfelues, telles que la vitesse de la lumière ?

La marquise du Châtelet possédait des connaissances étendues dans tous les domaines que la science avait abordés ces dix dernières années. Elle identifia sans difficulté la plupart des instruments disposés sur les tables et les étagères du cabinet de curiosités, compulsa hardiment les ouvrages d'entomologie, et ainsi de suite. Son savoir se heurta à un objet incongru, massif et assez laid, qui trônait sur un coffre en bois.

— Elle gardait quand même des cochonneries. Voyez cette vilaine boîte en fer-blanc !

Voltaire, à qui aucun art de société n'était inconnu, lui apprit qu'elle avait sous les yeux une lanterne magique. On s'en servait pour projeter sur un écran, pour les enfants, des scènes magiques, pour leurs mères, des paysages pleins de couleurs, et, pour les messieurs, des distractions d'alcôve qui se regardaient porte fermée.

Linant les rejoignit à ce moment. Il avait été retardé par l'obligation de surveiller la fouille des cuisines, où se trouvaient nombre d'objets auxquels il tenait, pour la plupart comestibles. Il avisa la lanterne que Voltaire était en train de détailler.

— Où sont les plaques ? demanda-t-il en remuant des piles d'objets avec un intérêt évident.

Émilie fronça le sourcil.

— Que vous importe, monsieur l'Abbé ?

Il manquait les vitres sur lesquelles étaient peintes les scènes à projeter. On trouva en revanche dans la lampe un papier avec un alexandrin de l'écriture de la baronne :

C'est d'avoir des regrets qu'il nous vient du remords.

Leur curiosité fut piquée. Il leur fallait ces plaques. Ils s'informèrent de leur sort auprès du personnel.

Les servantes n'en savaient rien, mais Mlle de Grandchamp avait entendu Mme d'Estaing ordonner la veille à Beaugeney de les céder au premier colporteur venu, au prétexte qu'elle ne saurait souffrir qu'on trouvât chez sa mère des illustrations salaces. La remarque était déjà un indice de ce qu'il y avait à voir. Il n'était pas question pour la comtesse que de telles choses fussent portées à l'actif de la succession. Le sens du convenable était sa boussole, il remplaçait son jugement. Elle aurait vendu Voltaire sur le marché aux esclaves si l'on avait été à Zanzibar.

Consulté à son tour, Beaugeney expliqua de mauvaise grâce qu'il avait vendu les plaques à un petit Savoyard qui faisait le métier de montreur ambulant, comme il y en avait tant.

Voltaire se réjouit peu à l'idée d'aller encore vagabonder dans l'obscurité, poursuivi par des ombres très matérielles et très hostiles. Quant à Émilie, elle s'écria :

— Nous n'allons pas courir après tous les ramoneurs du quartier !

— Non, non, c'est lui qui va s'en charger, dit Voltaire en désignant Linant.

On le lesta de biscuits et de bonnes paroles, et on le jeta dehors dans le froid. Le nez baissé contre le vent, une main tenant sa cape fermée et l'autre plaquant son chapeau sur sa tête, le gros abbé fit le tour des Savoyards. Dans la journée, ces gamins ramonaient les cheminées et accomplissaient toutes les taches salissantes qu'on voulait bien leur confier. Le soir, après s'être nettoyés, ils sortaient offrir le divertissement de leur lampe magique. Linant en avisa un qui déambulait dans la rue des Bons-Enfants, sac en bandoulière et lanterne au dos.

Le gamin admit de bonne grâce qu'il avait acheté les plaques pour trois fois rien. Il n'aurait pas payé davantage, elles ne correspondaient pas au modèle de lampe hollandaise qu'il transportait. Il comptait les placer auprès d'un collègue, dès qu'il en aurait trouvé un muni du bon format.

L'abbé se dit que si ce garçon les avait eues pour rien il les lui vendrait pour pas grand-chose.

À sa grande surprise, les plaques connurent une inflation brutale.

— Depuis quand de vulgaires vitres peintes valent-elles leur pesant d'or ? s'offusqua-t-il.

— Dame ! Depuis qu'on me les réclame ! rétorqua le gamin.

— Qui te les réclame ?

— Vous !

Voltaire et la marquise profitèrent du départ des héritières, qui s'étaient lassées de retourner les coussins sans rien dénicher de décisif. Ils se firent servir une collation dans un salon à présent désert, mais qu'on aurait dit bousculé par le sirocco.

— Les seuls défauts insupportables sont ceux d'autrui, constata l'écrivain.

Il sembla à la marquise que Victorine de Grandchamp, qui leur versa le chocolat, faisait des mines au philosophe.

— Que vous veut-elle, cette petite fille ? demanda-t-elle quand la jeune femme se fut retirée.

— Elle veut ce que veulent les demoiselles, répondit Voltaire. Dans tous les cas, cela passera par un beau mariage avec un bon mari.

Une servante leur apporta le journal.

— Qu'est-ce que c'est que ça ? dit Voltaire.

— La gazette, monsieur.

— La gazette de Paris ! On n'y lit que des sottises ! Donnez-moi une gazette de Hollande, que j'apprenne ce qui se passe en France !

Faute de nouvelles, il résuma pour Émilie son *Eriphyle*, tragédie dans laquelle il avait combiné le sujet de *Hamlet* avec celui d'*Œdipe* en y introduisant quelques réminiscences de *Macbeth*.

— Et de *Don Juan*, rien ? s'étonna la marquise.

Ils savouraient le chocolat de la baronne quand Linant se présenta avec les plaques, mais sans sa bourse. La constatation qu'on avait commencé à manger sans lui mit le comble à son désarroi.

Voltaire fut d'autant plus ravi de récupérer les plaques qu'il ignorait le montant de la transaction. On avait de quoi se sustenter, on était confortablement assis, c'était le bon moment pour une séance d'images colorées.

On envoya Beaugeney prendre la lampe dans le cabinet de curiosités. Hélas, le valet revint bredouille : c'était à présent la lanterne qui avait disparu. On chercha avec tout le soin imaginable, on retourna livres et bibelots. Elle n'était plus là.

Malgré la subtilité de l'enquête conduite auprès des domestiques, que Voltaire menaça d'anathème philosophique et à qui la marquise fit les gros yeux, attitude plus effrayante encore, on ne put établir qui l'avait escamotée.

Il fallait donc s'en procurer une autre. L'abbé refusa de retourner courir après les colporteurs malappris et, d'ailleurs, on n'avait plus d'argent à leur consacrer.

Par chance, la marquise, qui potassait le *Journal des sçavans*, trouva mention d'une réunion hebdomadaire entre amateurs de projections mystérieuses, et c'était précisément ce soir-là qu'elle avait lieu. Elle voulut y aller tout de suite.

— Dans votre état, madame ? s'étonna Linant, qui la voyait se mouvoir sans arrêt malgré son gros bedon.

— Quoi, mon état ? On peut accoucher n'importe où !

On s'en fut accoucher rue Saint-Dominique.

Cette rue était le grand axe du quartier qui s'étendait à l'ouest de l'abbaye de Saint-Germain-des-Prés. Il n'y avait rien de plus plaisant ni de plus élégant que ces hôtels, édifiés par les meilleurs architectes et dotés de beaux jardins. L'air balayé par le vent du fleuve y était sain et la compagnie, excellente.

Joseph de la Mosson avait rassemblé chez lui le musée de curiosités le plus riche de France. Les autres amateurs de raretés réunis ce soir-là se nommaient Gaspard de Servière, qui possédait un cabinet de raretés hérité de grand-papa, et Antoine d'Argenville, célèbre naturaliste et historien de l'art.

Dès qu'on sut que trois visiteurs apportaient de nouvelles plaques, on les accueillit comme Michel-Ange à la chapelle Sixtine. La vogue de ce divertissement ne s'était pas répandue au point que les collectionneurs fussent rassasiés de nouveautés.

Les trois honorables savants leur firent une présentation de leurs propres vues, qu'ils étaient sur le point de projeter.

— Que la lumière soit! dit M. de la Mosson.

Et la lumière fut. Elle s'accompagna d'un beau paysage, puis d'une apparition fantastique inspirée de Dante, de bestioles animées qui couraient dans une prairie, et d'une scène de genre – des paysans des Flandres attablés dans leur chaumière.

— Ah, mais nous sommes véritablement dans la caverne de Platon! s'esbaudit le philosophe devant ces trompe-l'œil.

On eut ensuite une relation de la vie quotidienne en Chine; on se serait cru transporté à Pékin.

Après les scènes bourgeoises vinrent les scènes intimes. Les personnages se firent moins bridés et, aussi, moins vêtus.

— Qu'est-ce que c'est que ces saletés? dit Émilie.

— Ce sont des illustrations pour les *Ragionamenti* de l'Arétin, dit Gaspard de Servière. Ne confondez pas avec des vues gaillardes ordinaires.

— Je vois, dit la marquise. Ce sont des vues gaillardes culturelles.

— Le Régent s'en faisait projeter très souvent, assura M. d'Argenville.

— Voilà un gage de moralité, dit Émilie.

Il était grand temps de passer au sujet de leur visite. Linant sortit les plaques négociées à prix d'or. Ces messieurs y jetèrent un premier coup d'œil à la lueur d'une bougie. Ils hésitèrent à les projeter devant la marquise, qui paraissait si à cheval sur les bonnes mœurs.

— Nous ne sommes pas sûrs que ces vues soient convenables pour une dame, ni pour un abbé, ni pour quiconque, en fait, dit M. de la Mosson.

Linant répondit qu'en tant qu'homme d'Église il devait identifier le péché s'il voulait le bien combattre. Il était déterminé à l'« identifier » sous toutes les coutures, de dos, de face et les pattes en l'air. Quant à Émilie, elle avait étudié l'anatomie humaine et la vie des insectes, elle promit de regarder tout cela d'un point de vue de naturaliste.

Les élytres et les antennes de ces insectes-là étaient fort turgescents. Si prévenue fût-elle, elle laissa échapper une exclamation et se détourna. À la deuxième plaque, l'intérêt des messieurs pour ce qu'ils voyaient piqua sa curiosité, elle finit par regarder aussi.

— Eh bien! Ce ne sont pas les vitraux de Notre-Dame! dit Gaspard de Servière.

À vrai dire, l'étrangeté venait surtout du fait que les scènes n'avaient pas vraiment de signification. On ne voyait chaque fois qu'un personnage tout seul, dans un décor semblable, mais tracé à grands traits, comme si certaines parties manquaient. Rien ne retenait l'attention, hormis le fait que les sujets étaient très dévêtus. On eût dit qu'on les avait surpris en train de prendre le thé séparément et tout nus, ce qui était une drôle d'idée. Quel artiste avait-il pu représenter pareille absurdité, qui avait pu acheter ces stupidités, et pourquoi la baronne les conservait-elle avec soin dans des pochettes de soie, comme si ces morceaux de verre avaient présenté un quelconque intérêt ?

Les trois messieurs proposèrent ensuite d'examiner leur collection d'estampes japonaises, mais la marquise se déclara fatiguée, si bien que les invités se retirèrent sans avoir pu vérifier si le peuple du Soleil-Levant possédait des particularités anatomiques équivalentes à celles mises en scène par l'Arétin.

La marquise déposa ses compagnons chez Mme de Fontaine-Martel et rentra chez elle se coucher. Il était tard, la nuit était profonde, le vent, toujours aussi froid, et l'on n'y voyait guère. Ils tirèrent le cordon. Pas de réponse. Pourtant, de la lumière brillait à l'intérieur.

S'étant lassés de sonner en vain, ils firent le tour par le jardin du Palais-Royal, qui s'ouvrait facilement, même après le coucher du soleil, si l'on était bien vêtu et qu'on glissait la pièce au gardien. Cet homme était habitué aux frasques des Parisiens de tout acabit, dont les fourrés étaient l'un des lieux de rendez-vous favoris.

Une fois à l'arrière de la maison, Voltaire repéra la fenêtre d'un cagibi, dont il savait que le verrou était cassé pour avoir plusieurs fois réclamé de Beaugeney qu'il le fît réparer, au motif qu'on ne savait quelle crapule pouvait s'aviser de les envahir par là. Il pria Linant de bien vouloir lui faire une échelle de son dos.

Au prix d'acrobaties et de contorsions dont Leibniz n'aurait sans doute pas été capable, le philosophe parvint à se faufiler dans l'ouverture et se laissa tomber de l'autre côté. Il atterrit sur une partie de son individu qui, heureusement, ne lui était pas d'une utilité primordiale pour ses travaux littéraires. Il eut au moins la satisfaction d'avoir démontré qu'en effet l'ouverture était accessible à n'importe quelle crapule.

À peine sorti du cagibi, il rencontra dans le corridor une servante qui venait voir quel rat était assez audacieux pour faire un tel tapage. Voltaire fut tenté de lui démontrer par la raison première d'un soufflet qu'un rat était moins à craindre que les remontrances d'un philosophe.

— Pardonnez-moi, dit la brave femme, mais Mme d'Estaing affirme qu'elle est désormais chez elle, et elle m'a interdit de vous ouvrir.

Voltaire prit l'injonction avec détachement. Il n'aurait qu'à commander deux nouvelles clés. Ces clés de portes d'entrée étaient lourdes, encombrantes, on ne savait où les ranger, on les perdait, elles déformaient les poches, c'est pourquoi on préférait généralement réveiller son portier. Ces mille petits inconvénients vaudraient toutefois mieux que de coucher dans le froid et la neige, en compagnie d'un abbé idiot qui, à présent, hurlait parce qu'on l'avait oublié dehors.

CHAPITRE ONZIÈME

Comment gagner de l'argent quand on est mort.

Le lendemain, fort éprouvé par ses acrobaties nocturnes, Voltaire était mourant.

Mme du Châtelet se présenta sur les onze heures. Elle qui ne dormait presque jamais eut la surprise de le trouver au lit, toque de fourrure sur la tête, en compagnie de l'abbé Linant qui lui touillait ses bouillons.

Comme elle s'alarmait à l'idée que le malheureux eût été assailli par ses poursuivants, on lui raconta sa rencontre d'une fenêtre et d'un cagibi. Le récit n'arracha pas à la marquise les paroles de commisération qu'on espérait. Quelques sourires, même, aussi cuisants que les meurtrissures de son postérieur, renvoyèrent l'écrivain sous les couvertures où, au moins, nul ne tirait plaisir de ses tourments.

— Ce bon Linant m'aide autant qu'il peut! dit-il tout haut.

Tout bas, il ajouta à l'oreille de la marquise :

— Saviez-vous que certaines personnes peuvent dormir dix-sept heures par jour ? J'ai l'impression d'avoir engagé un loir. Si l'on retire le temps qu'il passe à manger, il ne reste pas grand-chose pour servir le culte de la littérature.

— Vous avez pris un abbé pour vous tendre la soupe ? s'étonna Émilie.

— Pourquoi pas ? Il est mieux là qu'à débiter aux fidèles des bêtises sur la religion. Assister Voltaire est ce qu'un homme de foi peut faire de plus utile. Je suis sûr qu'il me soignera bien : s'il se montre paresseux ou négligent, il sait qu'il ira en enfer !

Lorsqu'un regain de vigueur permettait au malade de voler au secours des foules ignorantes, Linant lâchait la cuiller pour la plume et rédigeait sous la dictée du maître. Dans ses rares heures de veille, il se faisait infirmière, secrétaire et, au besoin, pouvait administrer les derniers sacrements sans poser trop de questions. C'était très commode.

Émilie s'enquit de ce qu'on écrivait.

Quand Voltaire était mal en point, il faisait des vers. En l'occurrence, il profitait de son agonie pour rapetasser son *Eriphyle*. La marquise s'expliqua mieux l'état de cette tragédie.

La servante annonça que le « monsieur pour soigner Monsieur attendait en bas ». Émilie voulut le laisser avec son médecin.

— Un médecin ! Jamais de la vie ! Ils vous prescrivent des saignées qui vous tuent rien qu'avec leur facture !

Le visiteur était un fabricant de matériel prophylactique, il apportait un nouveau clystère. Linant ouvrit une armoire où Voltaire en conservait de différentes tailles, y compris un tout petit, pour le voyage, afin de n'être jamais pris au dépourvu. Il pouvait sauter en carrosse, filer vers la frontière et se faire un lavement sans ralentir l'allure.

Le fabricant tira d'un étui un monstre à piston de cuivre et réservoir de verre.

— C'est pour consommer tout de suite? demanda-t-il.

Voltaire était très excité à l'idée d'expérimenter son nouveau jouet. La marquise battit en retraite vers une autre pièce.

Le lavement pris, l'abbé Linant remonta avec une tisane, l'air embarrassé. Il était suivi d'une servante.

— Il y a en bas un monsieur qui prétend vous emprunter de l'argent, annonça-t-il. Je lui ai répondu que nous n'étions pas une maison de banque, mais il insiste.

La servante qui avait ouvert était fâchée :

— J'ai dit que Madame était morte. Il a répondu que c'était vous qu'il venait voir, déclara-t-elle sur un ton plein de soupçon.

— C'est sans doute une erreur, dit Voltaire. Faites entrer.

— Dans votre état? s'offusqua l'infirmière-secrétaire-abbé.

— Précisément, dans mon état.

Le solliciteur était un gentilhomme court sur pattes, d'une quarantaine d'années, vêtu d'un beau pourpoint brodé, mais dont les yeux enfoncés dans les orbites, les sourcils touffus et le front bas évoquèrent à l'écrivain la face obtuse d'un babouin.

Voltaire toussa, s'excusa de le recevoir au lit, le pria d'approcher, car il avait la vue basse, et de parler haut : son ouïe était mauvaise. C'était un vieillard de trente-neuf ans qui faisait ses affaires.

Bien qu'il fût peu probable qu'un grabataire songeât à placer des fonds, Jean-Baptiste Angot de la Motte-Lézeau s'assit à côté du lit, pas trop près, et déclara qu'il était envoyé par un ami commun. Ses rentrées avaient du retard, il était à sec.

— On me dit, monsieur, que vous prêtez.

— Je ne sais, dit le malade. Habitez-vous Paris ?

— Je vis à Rouen.

— Alors il se peut.

Pour les Parisiens, il usait d'un homme de paille, afin de préserver sa réputation. Les transactions se faisaient sous forme de rente viagère.

— Combien faudrait-il pour vous accommoder ?

En venant, M. de Lézeau avait calculé qu'il avait besoin de quatre mille livres. Vu la décrépitude du créancier, il se dit qu'il aurait été fou de ne pas monter à six mille : les remboursements ne dureraient pas longtemps, il pouvait s'en voir délivrer dans le courant de l'hiver par le décès du souscripteur, c'était pratiquement du vol à l'étalage.

Voltaire s'informa des qualités de l'emprunteur. Lézeau venait sur la recommandation de M. de Cideville, ami et client du maître ; Voltaire envisagea de risquer deux mille livres. Il était marquis, on passa à trois mille. L'évocation d'un gros héritage fit réévaluer le marquis à cinq mille. Sa Seigneurie occupait la charge très confortable de conseiller au parlement de Normandie ; sept mille. Provincial, noble et parlementaire, c'était le client idéal.

La même idée vint à M. le marquis du Parlement. Au fil de la conversation, ses yeux se posèrent sur une infinité de remèdes, seringues, fioles et potions qui traînaient sur tous les meubles. La maîtresse des lieux venait de trépasser, l'endroit était malsain, nul doute que son locataire suivrait le même chemin.

Très contents l'un de l'autre, les deux hommes se mirent d'accord sur huit mille livres, au taux outrancier de dix pour cent, sur la seule tête du souffreteux.

La chose conclue, Voltaire fit tinter sa clochette pour faire raccompagner le visiteur. La honte de servir un usurier se lisait sur la figure de la servante.

Voltaire venait de conclure une excellente affaire, il se sentit mieux. Du coup, il avait moins le cœur à la tragédie. Il se leva comme Lazare et rejoignit Émilie dans le cabinet de la baronne. Aidée d'une bonne et d'un plumeau, la marquise procédait à un examen approfondi.

Il avisa une poupée mécanique qui dansait au son d'une musique métallique quand on tournait sa clé ; un perroquet empaillé ; un boulier peint de caractères chinois ; une cocotte en papier avec une étiquette disant « Œuvre d'art japonaise » ; des coquillages multicolores aux formes improbables.

— Tout le fatras d'un homme de science ou d'une femme qui s'ennuie, dit Voltaire.

Émilie tiqua.

— Ne pensez-vous pas qu'il puisse y avoir des femmes de science et des hommes qui s'ennuient ?

— Pas en votre compagnie, répondit l'écrivain avant de lui baiser la main.

Un papier glissa de son bonnet de nuit. C'était ce billet couvert de notes musicales qu'il avait ramassé dans la chambre de la baronne, la nuit où elle avait eu son terrible cauchemar. Il avait été mouillé, l'encre avait un peu coulé, mais il restait parfaitement lisible.

Émilie s'intéressa au fragment de partition. Elle avait exhumé – c'était le mot juste – une flûte en os qui ressemblait furieusement à un fémur humain, contre laquelle Voltaire n'aurait collé ses lèvres pour rien au monde. Elle joua ce qui était écrit, ce qui ne donna rien de cohérent. Sa pratique des mathématiques lui fit soupçonner qu'un message était dissimulé dans ces notes de musique. Sa connaissance du solfège était hélas limitée, il leur fallait un spécialiste.

Le meilleur théoricien de la musique se nommait Jean-Philippe Rameau. Il fréquentait chez Mme de Tencin. Cette dame recevait le mercredi. On était mercredi. Ils n'avaient pas été invités, mais la marquise connaissait bien l'hôtesse et nul ne fermait sa porte à Voltaire.

— Si vous n'étiez pas mourant..., dit-elle.

On n'est pas mourant quand on vient de s'assurer une rente annuelle de huit cents livres ratifiée par un idiot. Le parfum de l'argent était un baume, Voltaire courut s'habiller.

Il aurait sauté avec moins d'empressement dans ses bas de soie s'il avait su que la dupe n'était pas celle qu'il croyait.

CHAPITRE DOUZIÈME

Observation de quelques fauves
en train de se repaître
de petits-fours sous des lambris dorés.

Avant de partir, on posta Linant devant le cabinet de curiosités, avec ordre d'empêcher quiconque de subtiliser ou détruire quoi que ce fût.

— Si nous voulions nous assurer qu'il ne bouge pas de là, il faudrait tout déménager dans la cuisine, estima Émilie.

Voltaire lui demanda un instant afin de se préparer pour les mondanités. Cela ne dura en effet qu'un instant. Il réapparut comme il était d'habitude, hormis une cravate de dentelle qu'il avait ajoutée pour bien montrer qu'il était en grande toilette.

— Pour moi, cela prendra un peu plus de temps, prévint la marquise.

Ils passèrent chez elle pour qu'elle enfilât, selon ses propres termes, « quelque chose de présentable ».

Un doute naquit dans l'esprit du philosophe lorsqu'elle traversa d'un pas rapide le vestibule de son hôtel en clamant : « Je dois m'habiller pour sortir ! » De toutes parts surgirent des chambrières, des caméristes, des coiffeuses, qui la suivirent à l'étage comme un régiment parti en découdre avec les Turcs.

La bataille dura une heure, ce qui lui sembla long. Par chance, les du Châtelet possédaient une bibliothèque bien garnie où Voltaire s'installa pour feuilleter quelques ouvrages. Et comme il y avait de quoi écrire, il put s'adonner à l'un de ses passe-temps favoris : faire des commentaires dans les marges des livres des autres. Quand la marquise eut terminé, il replaça soigneusement sur le rayonnage l'exemplaire des *Provinciales* de Pascal, dont il se souciait peu de savoir si le marquis serait ravi de le retrouver rempli de notations caustiques, de page en page.

Émilie descendit l'escalier, parée comme une impératrice de Byzance, couverte de la tête aux pieds d'une profusion de bijoux rutilants, de boucles et de nœuds.

— Voilà ! déclara-t-elle. Nous sommes parfaitement assortis, vous et moi !

Il ne vit pas en quoi. Lui s'était contenté de ses bas plissés, de sa perruque ébouriffée, la cravate de dentelle lui suffisait pour n'avoir pas son air de tous les jours.

— Je veux être digne de vous, précisa-t-elle.

Il supposa qu'elle le confondait avec le calife de Bagdad, commandeur des croyants et heureux époux d'une centaine de mousmées avec des diamants dans le nombril.

Dans la voiture, il resta curieusement silencieux. Il appréhendait cette soirée. De tous les salons de Paris, Jean-Philippe Rameau avait choisi celui où l'écrivain n'était pas le bienvenu. Voltaire avait croisé Mme de Tencin lors de sa dernière incarcération à la Bastille : l'amant de cette dame s'était tué chez elle en laissant un testament en sa faveur, dans lequel il l'accusait d'avoir causé sa mort. On l'avait mise au frais le temps d'éclaircir l'affaire. Ces circonstances ne s'étaient pas prêtées à un rapprochement, aucune des deux victimes de l'arbitraire n'ayant un caractère à fraterniser entre réprouvés. Peut-être se ressemblaient-ils trop. Elle ne l'aimait pas et sa maison était remplie de gens qui le méprisaient. Il aurait presque préféré retourner à la Bastille, où, au moins, le gouverneur l'avait traité avec considération et courtoisie.

Émilie devina son inquiétude. Elle lui promit qu'il ne verrait ce soir-là que des gens de la première distinction. Non seulement elle s'était initiée à toutes les sciences, mais elle connaissait tout le monde.

Il lui assura qu'elle avait toutes les qualités. La suite le porta à nuancer cet avis.

La reine de Sabbat et son djinn bougon firent leur entrée sous les lambris de Mme de Tencin. Voltaire avisa d'emblée quelques perruques qui ne lui souriaient guère.

— Oh, mais c'est rempli d'académiciens, ici ! Très bien ! J'adore !

Il avait été refusé plusieurs fois, certains des messieurs présents avaient voté contre lui, d'autres occupaient les fauteuils qu'il avait convoités. Émilie, heureusement, avait le don de voir le bon côté des catastrophes :

— Vous allez pouvoir préparer votre prochaine candidature, laissa-t-elle tomber avec désinvolture.

Il en aurait plus volontiers étranglé un ou deux pour libérer de la place.

Ils allèrent présenter leurs hommages à la maîtresse de maison, une belle femme de cinquante ans dont les charmes n'étaient pas trop usés, quoiqu'ils eussent beaucoup servi.

— Nous ne nous sommes guère vus depuis la Bastille, dit Voltaire avant de lui baiser la main, si bien que ce baiser fut aussi agréable à leur hôtesse que celui d'un python.

— Je vous promets de vous rendre visite à votre prochain séjour, répondit Mme de Tencin.

Elle le complimenta sur son poème qui avait fait le plus de bruit, l'année précédente :

— Vous avez écrit un *Temple du goût* sans y placer aucune des personnes présentes. Je vous souhaite une bonne soirée.

Voltaire était fâché d'être venu.

— Que vous avais-je dit ! glissa-t-il à Mme du Châtelet tandis qu'ils s'éloignaient.

— Ce n'était pas très gentil de lui rappeler son passage en prison, plaida Émilie.

— Elle a tout de même gardé l'argent de l'homme qu'on l'accusait d'avoir poussé à se tuer ! répliqua l'écrivain.

La marquise lui fit signe de parler moins haut : on les regardait.

Ils avisèrent le célèbre musicien. La ressemblance physique entre les deux hommes était frappante. Maigre, doté d'un long nez, Rameau était le vivant portrait de Voltaire, en plus grand, avec le même goût pour les vêtements à la mode de la Régence, c'est-à-dire qu'ils s'habillaient l'un et l'autre avec dix ans de retard.

— Quelle tige ! murmura Voltaire. C'est dommage, il aurait assez bonne mine s'il avait poussé moins haut.

Rameau était connu pour être brillant et aussi pour en avoir pleinement conscience. Il était imbu de son intelligence et de son savoir. Le premier défaut agaçait, le second ennuyait, ce qui n'en faisait pas le convive le plus aimé. Mme de Tencin l'invitait pour le voir remettre les pédants à sa place ; peu de gens étaient assez vifs, cultivés et dépourvus de scrupules pour lui procurer ce plaisir avec une régularité de métronome.

Émilie le jugeait odieux, Voltaire, pesant. Il prit néanmoins sur lui de le flatter, et la marquise fit mine d'approuver avec enthousiasme, dans le seul but de lui placer leur énigme musicale.

À vrai dire, l'opinion du philosophe se nuança lorsque Rameau fit jouer une œuvre de sa façon par le petit ensemble avec lequel il était venu.

Voltaire fut subjugué par cette musique. Surtout, il entrevit un nouvel avenir pour une tragédie injustement délaissée.

— Quelle splendeur ! s'écria-t-il sous le nez, long et haut perché, du compositeur. Vous devriez écrire un opéra sur un sujet digne de vous. Connaissez-vous mon *Eriphyle* ?

Rameau ne pensait pas qu'une maladie de peau fît un bon sujet pour une œuvre lyrique. Il préférait puiser dans l'Ancien Testament. Voltaire lâcha aussitôt *Eriphyle,* cette cause perdue, et se raccrocha à ses lectures.

— Ah ! Pour parler de la Bible, vous ne sauriez mieux tomber ! Je la connais comme si j'en étais l'auteur !

Dieu proposait à Rameau de rédiger son livret, c'était une collaboration impossible à refuser.

En attendant de donner aux aventures bibliques un écrin digne d'elles, on avait une devinette à lui soumettre. D'une certaine façon, on lui échangeait un opéra tout entier contre quelques notes jetées sur un bout de papier.

Rameau se fit montrer le document. Intrigué, il joua sur le clavecin cette suite de noires toutes bêtes.

— Cela n'est pas harmonieux.

— Dame, ce n'est pas du Rameau ! flagorna Voltaire.

Par chance, les codes mystérieux intéressaient davantage le théoricien de la musique que les héroïnes grecques qu'on voulait le charger de faire pleurer en cadence. Il réclama de quoi écrire et s'absorba dans son analyse, sous l'œil de ses admirateurs. Comme il ne disait plus rien et que cela avait l'air parti pour durer, Voltaire et Émilie le laissèrent à ses déchiffrements.

La marquise abandonna son philosophe devant un groupe d'académiciens assis dans des bergères qui avaient tout d'un banc d'oursins sur leurs rochers.

— Oh ! Mais regardez qui est là ! dit l'un d'eux.

— Vous êtes en avance pour vos visites, dit un autre. Aucun d'entre nous n'est mort, cette année.

— Cela ne fait rien, j'attendrai, répondit Voltaire.

La moutarde leur monta au nez. On n'entrait pas à l'Académie pour se faire oindre de piment, mais de pommade.

— Mesurez vos paroles, Voltaire ! C'est la fine fleur des arts et des lettres qui se réunit ici !

— Je suis ravi de l'apprendre, répondit l'écrivain. Quel jour faut-il venir pour les y voir ?

Il s'éloigna sans attendre de réponse, un coup de tasse de thé est vite donné.

Un peu plus tard, une dame qui se présenta comme une intime de Mme du Châtelet lui glissa en confidence :

— Empêchez Émilie de toucher une carte à jouer.

— Pourquoi ? Elle a une allergie au papier verni ?

On lui répliqua qu'il était inutile de feindre : il savait bien de quoi l'on voulait parler et, s'il l'ignorait, il s'exposait à faire de pénibles découvertes.

Voltaire s'attendait aux médisances – le monde est si cruel –, mais l'informatrice l'avait tout de même inquiété. Il se mit en quête d'Émilie. Elle était au buffet, où elle tâchait de saisir des beignets recouverts de sucre glace, de ses mains aux doigts déjà encombrés de grosses bagues brillantes.

— Il paraît qu'il faut vous faire promettre de ne pas jouer aux cartes, dit-il en lui tendant une assiette.

La marquise avala ce qu'elle avait en bouche.

— Oh, c'est une méchanceté qui court sur mon compte. Je vous le promets volontiers, cela ne me coûtera guère.

Rameau n'avait toujours pas fini ses devoirs et l'ambiance était morose. Voltaire lui reprocha de l'avoir conduit en un lieu où tout le monde lui faisait mauvais accueil.

— C'est parce que vous êtes grincheux, répondit-elle avec gaieté. Moi, tout le monde m'adore ! Tenez : prêtez-moi votre bourse, je vais vous faire adorer aussi.

Elle disparut dans un réduit où diverses personnes entouraient une table couverte d'un tapis. À son entrée, quelqu'un cria : « Champagne ! » Voltaire aurait bien voulu aller voir ce que c'était que ce petit comité, mais il fut retenu par une de ses connaissances, qui s'enquit de ses derniers écrits, une conversation à laquelle aucun écrivain ne saurait résister.

L'attrait hypnotique de la littérature dura environ une demi-heure, jusqu'à ce que son interlocuteur se mette à évoquer ses propres productions, ramenant brusquement Voltaire aux pénibles réalités de ce monde.

Il partit en quête de sa marquise et la trouva accrochée au fameux tapis, sur lequel elle lançait trois dés en priant saint Léonard de lui accorder la chance, ce qui, de la part d'une agnostique, n'était pas bon signe. Le secrétaire de Mme de Tencin tenait la banque au nom de sa maîtresse : les pertes des invités payaient les gâteaux et la chandelle. Au vu de ce que misait Émilie, on allait pouvoir servir du foie gras la prochaine fois. Voltaire comprit d'où venait ce que la marquise appelait sa « popularité ». Elle n'avait aucune mesure et perdait des sommes folles. Il lui arracha les dés et l'enleva à ce réduit de perdition.

— Lâchez-moi ou je jette votre perruque par la fenêtre ! lui souffla-t-elle comme une alcoolique assoiffée.

Par bonheur, Rameau avait déchiffré le message. La valeur de chaque note de musique correspondait à une lettre de l'alphabet, de un à vingt-six. On le pria d'en livrer la signification.

— Eh bien, si la partition est en *do* majeur, on devra lire : « Tuez la baronne. » Si c'est en *si* bémol, il faut lire : « Zata xo tapilaud. » En *ré* mineur, on lira : « Bowu na rigoturm. »

On s'en tint à la première hypothèse.

— Mais la vraie question, conclut Rameau, c'est : quel sujet allez-vous choisir pour notre opéra ?

Son accrochage avec la marquise suggéra au librettiste le thème de Samson trompé et ruiné par Dalila. Ils laissèrent Rameau à son enthousiasme et s'en furent prendre congé de leur hôtesse.

— Mon cher Voltaire, répondit Mme de Tencin, vous avez eu l'effronterie de venir sans être invité, vous n'aurez pas celle de partir avant tout le monde.

Il comprit qu'elle ne voudrait pas le lâcher avant qu'il n'eût été verbalement étrillé par les académiciens, qui méditaient leur coup en le foudroyant d'un œil mauvais depuis l'autre bout du salon. À défaut de se mettre d'accord pour lui accorder un fauteuil, ils l'étaient pour lui appliquer la bastonnade, au propre comme au figuré.

— Connaissez-vous la nouvelle ? dit un monsieur que l'écrivain ne connaissait pas. Voltaire est à l'article de la mort !

Mme de Tencin afficha son premier vrai sourire de la soirée.

— Dites-le-lui en personne, répondit-elle en désignant l'intéressé. Vous seriez donc mort, cher ami ?

— Je suis mourant par intermittence, répondit Voltaire.

Il demanda qui se permettait de répandre une information qui lui semblait très anticipée. On lui désigna un provincial vêtu d'un habit neuf, coiffé d'une perruque du dernier cri, qui tenait à la main une superbe canne achetée à L'Élégant de Paris. Voltaire reconnut le marquis de Lézeau, son emprunteur normand, mais un Lézeau beaucoup mieux mis qu'à leur première rencontre. Il s'inquiéta de le croiser dans un salon où l'on jouait des fortunes, alors que son client aurait dû être dans son parlement de Normandie, occupé à gagner de quoi lui verser ses dix pour cent.

Le monsieur qui venait de lui annoncer son propre décès connaissait un peu le propagateur de fausses nouvelles. Si Lézeau était venu emprunter dans la capitale, c'était parce qu'il ne pouvait le faire à Rouen.

— Et pourquoi donc ? s'enquit le prêteur.

— Dame ! Un homme qui a déjà hypothéqué tout son bien !

Un affreux pressentiment s'empara du philosophe.

— Mais il a des rentrées ?

— Il en aurait s'il ne les perdait pas au jeu avant de les avoir touchées !

Il fallut appeler à l'aide : Voltaire se sentait mal.

— Ce sont ses intermittences qui le reprennent, dit Mme de Tencin qui, décidément, passait une bonne soirée.

L'inconvénient de faire signer des traites à des imbéciles, c'est qu'ils risquent de se faire rouler par d'autres que vous avant de vous avoir remboursé.

De son côté, le bénéficiaire du prêt se déclara fort surpris de constater que le mort bougeait encore, et même qu'il venait agoniser dans les salons à la mode. La vue de son banquier, que deux valets emmenaient en le tenant par les pieds et par les bras, le rassura cependant sur l'avenir de ses traites.

Émilie rejoignit Voltaire dans le vestibule. On l'avait assis sur une banquette, on lui avait passé un linge humide sur la figure, il était parvenu à avaler deux doigts de liqueur et s'était suffisamment remis pour monter en voiture.

Alors que leur carrosse quittait la rue Saint-Honoré, la marquise fit un compte peu optimiste de leur situation.

— Tout ce que nous avons appris, c'est que l'assassin qui rôde autour de vous connaît la musique, alors que nous, non. Nous savons maintenant que nous vivons dans les dangers, mais nous ignorons d'où ils viennent ! Le beau progrès !

Il lui objecta que la connaissance des périls est le premier pas nécessaire vers la sauvegarde.

CHAPITRE TREIZIÈME

Effets comparés des courses effrénées et des bains de minuit.

La voiture de Mme du Châtelet avançait doucement, au pas tranquille de ses deux chevaux. À cette heure tardive, son cocher, qui avait passé la soirée à attendre, somnolait à moitié sur son siège. Assis face à face à l'intérieur, Émilie et Voltaire discutaient des derniers événements. La marquise leva la main.

— Entendez-vous ?

Voltaire tendit l'oreille et perçut un son lointain, étrange, qui se rapprochait. Douze notes formaient une mélopée sans queue ni tête, mais répétitive. Émilie mit le nez à la fenêtre au moment où ils passaient à la hauteur du bruit. Elle aperçut douze petites plaques argentées suspendues à une poutre. Elle crut d'abord que c'était le vent qui les faisait tinter, mais les notes étaient toujours égrenées dans le même ordre, aussi supposa-t-elle qu'une main les frappait à tour de rôle à l'aide d'un petit marteau. Il faisait trop sombre et ils allaient trop vite pour qu'elle pût s'en assurer.

— Voilà un carillon qui a besoin d'être accordé, dit-elle en reprenant sa place sur la banquette.

Voltaire ne disait rien. Il venait de se souvenir à quelle occasion il avait entendu ce genre de mélodie. L'appréhension le paralysait.

Il y eut presque aussitôt un choc, puis un « han ! » violent, suivi du bruit mat d'une chute. Alors qu'ils s'apprêtaient à s'informer de ce que c'était, ils furent jetés en arrière sur la banquette, Voltaire atterrit dans les jupes de la marquise. Le cocher venait de lancer ses animaux au galop. Ils se virent plus secoués qu'une paire de dés sur un tapis de jeu. Émilie parvint à se redresser et passa la tête par la fenêtre pour admonester le malotru.

— Picard ! Es-tu fou ? Veux-tu nous tuer ?

Elle ne reconnut pas la livrée de Picard. Celui qui menait ses chevaux était tout en noir. Il se tourna vers elle. Elle entrevit, à la lueur de la lune, une face grimaçante aux yeux égarés. Elle se laissa tomber sur son siège, blafarde.

— Ce n'est pas Picard !

La voiture roulait de plus en plus vite à travers la ville déserte. L'heure tardive et le froid hivernal avaient vidé les rues. Les Parisiens se chauffaient au coin de l'âtre ou dormaient derrière les rideaux de leur lit. Deux pauvres victimes couraient seules à leur perte dans un carrosse happé par une bouche de l'enfer.

— Nous sommes faits comme des harengs dans un tonneau ! dit Voltaire.

C'était cette sorte de moment où l'on regrette de ne pouvoir faire appel au Dieu des chrétiens parce qu'on a le malheur de penser par soi-même.

— Assommez le pousse-cul ! ordonna Émilie.

Voltaire la contempla avec des yeux ronds. Elle devait le prendre pour quelqu'un d'autre. En fait d'aller « assommer le pousse-cul », il était déjà fort occupé à coincer sa perruque d'une main et à se tenir à la cloison de l'autre.

On passa devant la colonnade du Louvre, on obliqua vers la Seine, qu'on longea en direction de l'Hôtel de Ville. Alors qu'on approchait de la berge qui descendait en pente douce vers le fleuve, leur ravisseur sauta de son siège : Voltaire le vit atterrir dans une charrette de foin. Au même instant, depuis la fenêtre opposée, Émilie découvrait qu'il n'y avait plus personne pour tenir les rênes.

— C'est une bonne nouvelle ! cria-t-elle pardessus le fracas des roues cerclées de fer qui frappaient le pavé. Les chevaux vont s'arrêter d'eux-mêmes !

Le hic, c'était qu'ils venaient de s'engager sur la descente. Devant eux, il n'y avait plus que la Seine, dont les eaux noires disparaissaient dans le néant.

La voiture folle dévala la piste boueuse. Incapables de s'arrêter, emportés par leur élan, les quadrupèdes entrèrent dans l'eau. Le courant hivernal renversa immédiatement le carrosse, les harnais se rompirent, et chacun s'en fut de son côté, les animaux vers la terre ferme, l'épave, lentement, vers la mer.

L'eau qui s'engouffra à l'intérieur était glaciale. Les naufragés n'avaient aucune chance d'en réchapper. Leurs deux têtes affleurèrent à la surface. Ils étaient empêtrés dans leurs vêtements alourdis, dont le poids ne tarderait pas à les entraîner par le fond.

Tout en cherchant à quoi se raccrocher, Émilie ne put s'empêcher de calculer la masse de sa robe mouillée, la poussée d'Archimède, la vitesse de refroidissement d'un corps depuis sa température naturelle. Ces calculs, mieux à leur place dans une communication à l'Institut, eurent le mérite de l'empêcher de perdre le nord.

— Rappelez-moi la racine carrée de vingt-huit ! cria-t-elle à Voltaire.

Ce dernier se débattait des pieds et des mains avec l'espoir de conserver au monde un esprit irremplaçable.

— *Qualis artifex pereo*[1] *!* hurla-t-il en guise d'appel à l'aide, au prix d'une grande et immonde gorgée d'eau douteuse.

Un câble atterrit sur sa perruque. Un cocher de fiacre qui passait par là avait eu la charité de s'arrêter pour leur lancer ce filin depuis la rive.

1. « Quelle perte pour l'art ! », phrase que prononça Néron avant d'être assassiné.

Autant dire qu'il les attrapa au lasso, comme des taureaux dans un élevage. Des bateliers qui dormaient dans leurs barques accoururent et une petite foule se rassembla peu à peu pour voir sombrer le carrosse.

Une fois qu'il les eut tirés sur la berge boueuse, leur sauveur les hissa dans son véhicule comme deux paquets de linge au retour du lavoir et les ramena rue Traversière aussi vite que son cheval pouvait aller.

À l'hôtel du Châtelet, les serviteurs poussèrent des exclamations horrifiées. Avec sa robe trempée qui lui collait au corps, ses cheveux défaits, ses nœuds ramollis, Madame ressemblait à une chenille géante et gluante. Comme on se précipitait pour les secourir, ses premiers mots furent :

— Une si belle robe !

Rubans, fleurs et pompons pendaient lamentablement comme des fruits blets sur un pommier gelé. On emporta Madame dans ses appartements. Voltaire fut conduit dans une alcôve où l'on avait préparé du feu en prévision d'un retour moins cataclysmique.

Les survivants du naufrage s'y réunirent au bout d'une demi-heure, rhabillés de sec, frictionnés, emmitouflés dans des couvertures, pour boire un chocolat devant la cheminée. Sous les couvertures, le rescapé portait les vêtements du marquis, dont les manches lui tombaient sur les mains et dont les culottes de velours lui descendaient aux chevilles. Il ne suffisait pas d'avoir été noyé, il fallait encore être ridicule.

Il se souvint qu'il n'était pas sorti du fleuve par ses propres moyens et voulut récompenser le brave homme. On lui répondit que celui-ci s'en était allé sans rien réclamer. Le philosophe en conclut qu'ils avaient été arrachés à une mort certaine par quelque incarnation de la divine Providence qui trouvait sa satisfaction dans l'accomplissement du bien.

De son côté, Émilie s'inquiéta de son cocher. On lui apprit que Picard était rentré juste avant eux, fort mal en point, blessé à la tête et l'épaule démise. Il était meurtri, mais vivant. La marquise ordonna d'aller chercher un chirurgien pour lui donner des soins.

— Madame veut-elle aussi qu'on prévienne la force ? demanda son intendant.

Les émules de Moïse sauvé du Nil repoussèrent cette idée avec vigueur. Ils avaient assez souffert, ce soir, pour n'avoir pas à supporter, au surplus, les questions d'une police acharnée à les tourmenter.

— Je connais bien M. Hérault, répondit la marquise. Nous allons le laisser dormir dans son lit, ou dans quelque autre où il se trouve.

Une chose intriguait Voltaire, à présent qu'il avait repris ses esprits : comment l'homme au fiacre avait-il su à quelle adresse les conduire ?

Émilie balaya cette interrogation : elle était très connue dans Paris.

— La célébrité n'a pas que des désagréments, savez-vous. Tout le monde n'est pas aussi décrié que vous.

L'écrivain était trop perclus pour riposter. Il voulut bien croire que la marquise jouissait d'une grande renommée chez les conducteurs de fiacres ; après tout, il était, pour sa part, très apprécié des marchands de clystères.

Bien que dotée d'une bonne mémoire, Émilie ne s'était jamais beaucoup intéressée au solfège. Elle joua les douze notes au clavecin pour vérifier qu'elle se les rappelait bien, puis elle réclama la gouvernante de ses enfants, qui leur enseignait les rudiments de la musique. La servante répondit que cette demoiselle dormait.

— Alors que j'ai failli mourir ? s'indigna la marquise. Faites-la lever !

La gouvernante parut en robe de nuit, un châle en tricot sur les épaules, une charlotte de coton sur la tête. On lui fit noter ce que sa maîtresse interprétait. Il ne leur restait plus qu'à déchiffrer le message de la manière indiquée par Rameau.

Le texte était dépourvu d'ambiguïté. « Tuez Voltaire », avait-on joué dans Paris ce soir-là.

— Quel soulagement ! s'exclama Émilie.

Elle avait craint d'être visée.

CHAPITRE QUATORZIÈME

*Où l'on s'efforce de démontrer
qu'il y a toujours au moins
deux manières d'ouvrir une porte.*

Le lendemain matin, pas trop tôt, ils se rendirent chez Mme de Fontaine-Martel à pied – la marquise n'avait plus de carrosse et leur confiance dans les voitures de louage était fort émoussée. Malgré la brièveté du trajet, ils se firent escorter par de solides serviteurs qui suivirent à trois pas de distance.

Voltaire avait dû retrousser les manches et la culotte empruntées à M. du Châtelet. Fâché de n'être pas si propret qu'à son ordinaire, il ne cessa de pester intérieurement contre cette drôle d'idée qu'avaient les femmes d'épouser des hommes de haute taille – il est vrai qu'Émilie était plutôt grande elle-même ; elle devait avoir meilleure mine, lorsqu'elle déambulait avec le marquis, qu'en compagnie de cet elfe tout plissé qui lui donnait le bras, dont les vêtements étaient trop longs, y compris sa perruque en bataille récupérée à grand-peine après avoir subi les outrages de la Seine.

La proximité d'un assassin pervers renforçait leur détermination à résoudre l'énigme posée par l'assassinat de la baronne. Alors qu'ils longeaient le Palais-Royal, accrochés l'un à l'autre sans qu'on sût qui s'appuyait sur qui, Émilie récapitula leur situation :

— Nous devons trouver qui l'a empoisonnée…

— Pauvre Fontaine-Martel ! gémit Voltaire.

— … qui l'a poignardée, qui l'a étouffée…

— Pauvre Fontaine-Martel !

— … et qui s'en prend à vous.

— Pauvre de moi !

Mlle de Grandchamp avait eu la gentillesse de faire allumer du feu dans le cabinet de curiosités, aussi s'y installèrent-ils, bien que l'endroit n'eût plus grand-chose à leur offrir. Au moins, après leur nuit d'horreur, la douce folie environnante avait quelque chose de rassurant. Comme c'était à ce moment la pièce la plus chaude de la maison, la lectrice demanda la permission de faire sécher un peu de linge devant la cheminée, ce qu'ils acceptèrent de bon gré.

Un instant plus tard, Voltaire, éberlué, contemplait un lot d'articles de toilette qu'une demoiselle n'était pas censée exposer à la vue d'un célibataire. Victorine portait sous ses robes un déluge de dentelles et de rubans, signes d'une nature plus passionnée qu'il n'y paraissait.

— Cette petite vous jette ses culottes à la figure, remarqua Émilie.

C'est alors qu'ils virent une suite de lettres sans signification inscrites sur le trumeau. Elles avaient dû être tracées avec un doigt gras ; la vapeur d'eau qui se déposait tout autour sur la vitre froide révélait leur présence. On pouvait lire :

E LD KJIIM HL GLIBTM LT UCLS

— Un dernier poulet[1] de la baronne ! s'écria Voltaire.

— Vous pouvez remercier le dieu des petites culottes, dit Émilie.

Cela avait tout l'air d'un poulet d'outre-tombe. Ils le copièrent sur un bout de papier pour l'examiner après qu'il aurait disparu. Ces lettres n'avaient aucun sens, c'était précisément ce qui donnait au message son importance. Émilie penchait pour un fragment d'équation mathématique codée. Voltaire avait eu des velléités d'emplois diplomatiques – hélas, pour quelque obscure raison, l'État refusait obstinément de lui confier ses secrets. Il devina qu'il y avait derrière ce charabia une phrase chiffrée.

Ils avaient besoin, pour le décrypter, de spécialistes, de savants habitués à résoudre des énigmes. L'écrivain pensait n'avoir que l'embarras du choix :

— J'en ai assez qui m'aiment !

---

1. Un dernier billet.

Il apparut que non. On énuméra les candidats possibles. Il y avait ceux qui ne voudraient pas rendre service à Voltaire et ceux dont Voltaire ne souhaitait pas devenir l'obligé.

— J'irai voir ceux à qui j'ai prêté de l'argent! déclara-t-il, conscient que la richesse, souvent, ouvre plus grandes les portes que ne le fait le mérite.

Il laissa Émilie à ses interrogations et courut au Louvre, où siégeait l'Académie des sciences.

Déserté par le roi, le Louvre était une sorte de gros immeuble d'habitation destiné au logement des artistes bien en cour. Voltaire détestait cet enchevêtrement de constructions hétéroclites à l'extérieur, ce découpage anarchique d'appartements privés à l'intérieur. Il se hâta vers les salles dévolues aux académies, en tâchant de ne pas voir les avanies qu'on faisait subir à la magnifique architecture royale.

Il avisa, dans le corridor, une poignée de savants dont deux au moins étaient en affaire avec lui. Il brandit son papier, se déclara leur banquier et pria ses débiteurs de bien vouloir déchiffrer le message. Ceux-ci objectèrent qu'ils devaient à un M. Dumoulin.

— C'est moi! s'exclama l'écrivain. Je suis Dumoulin. Résolvez mon énigme.

En attendant de résoudre le mystère de la transformation de Dumoulin, ils voulurent bien se pencher sur le papier, qui fit le tour de l'assistance.

L'un des hommes de science assura qu'il s'agissait de sumérien, langue qu'on ne savait pas encore traduire. Un autre prétendit que c'était une transcription de l'arabe, où l'on n'écrit pas les voyelles. Après avoir retourné la suite dans tous les sens, un autre y vit l'annonce du retour de la comète. Ils se lassèrent bientôt et abandonnèrent l'énigme, qui les intéressait beaucoup moins que l'identité de Dumoulin.

Le plus intrigué du lot était un ancien diplomate qui s'était fait élire en usant de ses relations, pour meubler sa retraite. Il attendit le départ de ses confrères, y regarda de plus près et laissa échapper une exclamation.

— Mais c'est le chiffre d'Istanbul !

Il regretta aussitôt d'en avoir trop dit et jeta un coup d'œil circulaire pour vérifier qu'il n'avait alerté personne. Seule la maigrelette créature emperruquée le dévorait de ses yeux pétillants.

L'ancien diplomate rappela au propagateur de codes administratifs que ceux qui répandaient la correspondance de l'État dans des galeries pleines de monde s'exposaient à finir leurs jours très petitement logés. Ce n'était pas le savant, qui parlait, c'était l'ambassadeur.

Voltaire était habitué à s'entendre menacer du cachot. Pour accomplir tous les séjours en forteresse qu'on lui avait promis, il lui aurait fallu plusieurs vies ou engager du monde.

— Ainsi donc, monsieur, vous connaissez le moyen de déchiffrer ce texte ? demanda-t-il comme si les mises en garde avaient été prononcées dans un idiome inconnu.

— Certes oui, dit Son Excellence.

— Vous allez pouvoir m'en donner la clé !

— Jamais.

On demanda pourquoi.

— Parce que, monsieur, l'homme qui vous donnerait satisfaction commettrait un attentat contre la sûreté de notre pays. Je vous engage à détruire ce papier et à oublier que vous l'avez jamais tenu entre vos mains, auxquelles, de toute évidence, il n'était pas destiné. Vous avez là un passeport pour toutes les oubliettes du royaume, et je vous avertis qu'elles sont nombreuses.

Comme Voltaire insistait pour connaître au moins l'origine de ce qualificatif d'« Istanbul », l'ancien représentant de la Couronne l'engagea à se rendre en personne dans cette ville, d'y mener son enquête et, même, d'y rester.

Le cachottier parti, Voltaire chercha quelles étaient ses relations au sein du corps diplomatique. On lui avait parlé d'Istanbul tout récemment... Qui était-ce ?

La mémoire lui revint. Il sut à qui il allait s'adresser.

De son côté, Émilie s'était attelée au décodage. Elle procéda par recoupements successifs, s'arma de statistiques lexicales contenues dans le Dictionnaire de l'Académie et se livra à des calculs de probabilités sur les récurrences des consonnes et voyelles dans la langue française. Cela lui permit de faire tomber quelques pans du message. Ces doubles « i », par exemple, avaient de grandes chances d'être des doubles N, des doubles L ou des doubles T. Devant un redoublement, il fallait obligatoirement une voyelle. Ces L, qui revenaient si souvent, devaient être des E ou des A, les lettres les plus utilisées en français. Elle supposa que le message était écrit à la première personne. Le E du début pouvait donc se changer en J, ce qui donnait AI pour les deux lettres suivantes : « J'ai ». Petit à petit, elle démaillotait le mystère comme Pénélope sa tapisserie.

Tandis qu'Émilie triait consonnes et voyelles, Voltaire se présentait chez Mme Picon, vicomtesse d'Andrezel, cinquante-sept ans, veuve d'un ambassadeur. Françoise-Thérèse avait passé sa vie à regarder son mari aller administrer des provinces de plus en plus lointaines : l'Alsace, le Roussillon, nos armées en Espagne et, pour finir, notre représentation à Constantinople, où l'exotisme suprême d'une maladie inconnue en France l'avait définitivement ravi à l'affection des siens.

Pour avoir été privée de mari durant la majeure partie de son mariage, elle ne s'en était pas trouvée isolée pour autant. Les Picon l'avaient entourée sous toutes les formes possibles : ses enfants, sa belle-famille, l'abbé de

Ponci, anagramme de Picon, fils adultérin de son mari, et, dernièrement, la fille pauvre de sa sœur, dont on ne savait que faire.

La sœur de la vicomtesse avait elle aussi épousé un Picon, qui n'était pas un brillant diplomate de la Couronne mais un simple capitaine. Le peu de fortune de M. Picon de Grandchamp était pour ses deux fils. Quant à sa fille, elle ne pouvait compter que sur sa double parenté avec la branche aisée de la famille, ce qui ne lui avait servi, jusqu'ici, qu'à devenir une sorte de bonne surnuméraire chez Mme de Fontaine-Martel.

Le prétexte de la visite était précisément de parler de l'avenir de cette demoiselle, que Voltaire qualifia de « si intéressante personne ». Il se fit confirmer au passage que feu le vicomte d'Andrezel avait représenté les intérêts de la France près la Porte juste avant son décès, « cette perte irréparable pour la Couronne et pour les relations internationales ». Il n'eut pas grand mal à se faire retracer le magnifique parcours du mari à travers bureaux, conseils et charges publiques, sans perdre de vue la seule période qui l'intéressait vraiment, celle du séjour à Istanbul. Il déclara que c'était là une vie brillante, exemplaire, remarquable, qu'il convenait de célébrer pour l'édification des jeunes serviteurs de l'État. Il proposa de composer une notice biographique susceptible d'être imprimée et répandue à grande échelle. Il lui fallait du matériel, c'est-à-dire les papiers du défunt.

La vicomtesse hésita. Il la prenait au dépourvu. Deux ou trois flatteries ouvrirent néanmoins à l'écrivain la porte du cabinet particulier de Son Excellence, où l'on crut devoir l'ensevelir sous une montagne de documents déjà bien poussiéreux.

En fait de notice, Voltaire fouilla les dossiers à la recherche de la clé, notamment la correspondance de l'époque d'Istanbul. Jean-Baptiste-Louis Picon, vicomte d'Andrezel, était décédé cinq ans plus tôt, dans sa soixante-quatrième année, deux ans après avoir été agréé auprès du sultan Ahmed III.

À force de tout remuer, Voltaire trouva un petit aide-mémoire dissimulé dans la doublure du sous-main de M. l'ambassadeur. L'inconvénient de succomber à l'impromptu, c'était qu'on n'avait pas le temps de mettre ordre à ses affaires. Voltaire se félicita d'être passé par là. Il venait de rendre un fier service à la Couronne. Sans lui, ce code aurait pu tomber en de mauvaises mains. Dieu sait ce qu'un esprit malintentionné, ou simplement impertinent, aurait pu tirer de cette grille. Le mot-clé dont s'aidait Son Excellence pour décoder son courrier secret était « loukoum ». Jamais un Turc n'y aurait pensé. C'était finesse de fonctionnaire.

De retour rue des Bons-Enfants, Voltaire rejoignit la marquise dans le cabinet de curiosités et brandit la clé du code, ce bout de papier qui lui avait coûté tant d'efforts et de subtilité.

On trouve toujours plus fort que soi. Émilie brandit, quant à elle, le texte décrypté.

— J'ai donné ma langue au chat, annonça-t-elle.

— Mais, grâce à ceci, nous allons savoir ce que c'est ! répondit Voltaire.

— Non, reprit Émilie. « J'ai donné ma langue au chat. » Tel est le sens du message !

Elle lui expliqua comment elle avait cherché des récurrences et les avait comparées à celles de la langue française. Elle lui montra la grille qu'elle s'était offert le luxe de reconstituer, et dont la clé de chiffrement était le mot « loukoum ».

— Et vous avez fait cela dans la journée ? s'étonna Voltaire. Vous avez cassé un code fait pour résister aux esprits les plus fins ?

— Aux plus fins esprits masculins, peut-être, mais non à celui d'une femme, dirons-nous, conclut-elle avec ce qui pouvait passer pour de la modestie.

Le regard que Voltaire posait sur elle commença à changer. Se pouvait-il que sous ces dehors de charmante marquise se cachât un cerveau supérieur, au moins pour ce qui était des sciences logiques ? Il se félicita que Mme du Châtelet ne se fût pas tournée vers le seul art véritablement sublime, celui de la tragédie en vers, où elle eût risqué de lui faire concurrence.

Ils savaient où était la langue ; restait à trouver le chat.

Las et un peu vexé, Voltaire ne tarda pas à se décourager. Cette inscription enfantine était un jeu de gamins, une plaisanterie. Qui penserait à rien écrire de sérieux sur un miroir, avec son doigt ?

Émilie était d'un avis opposé. Il n'y avait pas d'enfant dans la maison, l'inscription était trop haute pour avoir été tracée par l'un d'eux, et les sentences les plus anodines pouvaient avoir les implications les plus terribles : il n'est que de regarder la Bible.

Le problème, c'était que Mme de Fontaine-Martel n'avait chez elle pas plus de chat que d'enfant. Elle vivait retirée avec ses serviteurs, sa lectrice et son Voltaire.

À force de soulever tissus, papiers et autres matières sur la nature desquelles mieux valait ne pas s'interroger, Émilie débusqua une statuette égyptienne en bois, d'une coudée de haut, qui représentait un félin à la tête vaguement triangulaire, dont les oreilles étaient pourvues de boucles d'or. En frappant de l'ongle, elle constata que l'objet sonnait creux. Elle le retourna et découvrit, à l'emplacement d'un orifice que l'on ne mentionne jamais chez les gens bien élevés et qu'on omet en général de représenter dans les œuvres d'art, un trou oblong dans lequel une main facétieuse et irrespectueuse avait enfoncé un feuillet enroulé sur lui-même. Après qu'elle l'eut déroulé avec soin sur un coin de table, ils virent qu'il s'agissait d'un texte manuscrit daté et signé, qu'Émilie lut à haute voix.

— « *Conformément à ma promesse de pourvoir à l'établissement de celle qui fut l'unique rayon de soleil de mes vieux jours, qui soulagea les mille petits maux d'une femme d'âge, et que je n'ai jamais regretté d'avoir attachée à ma personne, je lègue l'ensemble de mes biens, terres, domaines, propriétés, rentes et fermages, ma maison de Paris avec son mobilier, enfin tout ce qui se trouvera m'appartenir au jour de mon décès, à ma chère Victorine Picon de Grandchamp, pour la remercier de ses bons et fidèles services. Dans ce but, je déshérite par la présente tout parent, enfant, collatéral, ascendant ou descendant qui prétendrait contester mes dernières volontés. Je remets à ma bonne Victorine de Grandchamp la charge de récompenser à sa convenance ceux qui m'ont entourée de leurs soins et de leur affection jusqu'à mes derniers instants. Libre à elle de répartir telle part de mes biens qu'elle estimera juste entre mes amis les plus proches, pour les faire souvenir de moi quand je n'y serai plus. Le présent testament annule et remplace toutes mes dispositions antérieures. Fait en mon hôtel près le Palais-Royal, ce 10 janvier de l'année 1733, et signé par moi, Antoinette-Madeleine Desbordeaux, veuve de Fontaine-Martel.* »

La surprise d'être parvenus au but de leur quête les laissa sans voix.

S'ils étaient contents et fiers d'avoir trouvé, il ne leur échappa nullement qu'ils tenaient une bombe entre leurs mains. Ils tombèrent d'accord sur la nécessité de garder ce document secret jusqu'à plus ample informé.

Une sorte de coassement étouffé attira leur attention vers la porte du couloir. La servante debout dans l'encadrement annonça en bredouillant que Mademoiselle l'avait envoyée voir si on avait besoin de quelque chose. Puis elle s'évanouit sur le plancher avec fracas.

La maison fut bientôt sens dessus dessous. Penché sur cette malheureuse, peu habituée aux bonnes nouvelles, Voltaire réclama un cordial. On lui tendit un verre qu'il vida d'un trait. Émilie lui lança ce regard réprobateur dont elle avait le secret et ordonna d'apporter un autre verre. On le lui passa et elle le but.

Le troisième verre étant parvenu à sa destinataire évanouie, on en fit couler le contenu entre ses lèvres. La brûlure de l'alcool lui rendit à peu près ses esprits. Elle ouvrit les yeux et son regard se posa sur Mlle de Grandchamp, qui l'éventait à l'aide d'un mouchoir de batiste.

— C'est vous ! C'est vous ! glapit la servante sans parvenir à s'exprimer ni à la quitter des yeux.

L'intéressée la contempla à son tour sans comprendre.

— C'est vous qui lui prenez tout son air, reculez donc ! traduisit Voltaire, peu désireux de voir l'information apocalyptique envahir la maisonnée.

— C'est vous l'héritière ! parvint à articuler la moribonde.

Voltaire et Émilie auraient aimé mettre ces propos sur le compte d'un délire consécutif au choc de sa tête contre le parquet. Cependant, les domestiques délaissèrent immédiatement leur collègue pour les interroger, et il parut difficile de leur mentir ouvertement.

Plutôt que de se lancer dans des explications aux conséquences imprévisibles, les enquêteurs lâchèrent la servante et entraînèrent Victorine à part dans le cabinet de curiosités, pour lui annoncer la bonne nouvelle et lui montrer le testament. Ils en profitèrent pour lui faire jurer le secret, ce qu'elle accepta volontiers, toute au choc de ces révélations.

À peine sortie de la pièce, elle tomba sur le personnel massé dans le couloir.

— C'est moi ! s'écria-t-elle, le visage aussi illuminé qu'un gagnant de la loterie de Saint-Sulpice[1].

Elle leur développa les dernières volontés de la baronne dans tous les détails. Aucune subtilité du testament ne lui avait échappé : elle était chargée des bonnes actions, il y aurait de l'argent pour tout le monde, ils étaient riches. La joie éclata, du corridor à l'escalier. On jubilait, la mort de leur maîtresse était une bénédiction.

Certes, on ne pouvait reprocher à Victorine son profond soulagement. Sa vie venait de changer de but en blanc. Elle rayonnait de joie.

Voltaire et Émilie prévirent des soucis. Ces réjouissances ne feraient pas les affaires de tout le monde. Il allait y avoir de l'orage chez les héritières déçues.

1. Les loteries servaient à financer les communautés religieuses et l'une d'elles fut utilisée pour l'édification de l'église Saint-Sulpice.

S'il est difficile de se faire l'apôtre de la raison en temps ordinaire, assumer cette tâche sur des esprits enchantés par l'annonce de leur richesse excède les possibilités humaines. Les serviteurs n'avaient pas du tout l'intention de tenir secrètes les dispositions qui les feraient passer de l'état de dénuement à celui de petits rentiers. Leur nouveau but, dans l'existence, était de soutenir fermement les prétentions de Mlle de Grandchamp, leur providence.

La marquise se retira. Cette jubilation générale la fatiguait, elle se rappela qu'elle attendait un enfant et qu'elle devait se reposer. Elle laissa Voltaire profiter seul du bruit des libations. On fit un sort à quelques bonnes bouteilles de la baronne, qu'on ne s'était guère attendu à découvrir si généreuse une fois enterrée, après qu'elle l'avait si peu été quand elle tenait sur ses deux pieds.

À bien le considérer, Voltaire aurait dû s'en féliciter, lui aussi. L'article sur « les amis proches » le concernait au premier chef. Mlle de Grandchamp n'oublia pas de lui en toucher un mot censé le dérider :

— Soyez rassuré, cher artisan de mon bonheur : tant que je serai la propriétaire de ces murs, vous y trouverez l'asile que mérite un penseur tel que vous.

Voltaire ne fut pas dupe. Sous le compliment un peu déplacé perçait la menace d'expulsion au cas où le « mérite » du « penseur » eût soudain baissé. Autrement dit, on le priait de filer doux s'il voulait conserver le gîte et le couvert.

La charmante petite Victorine qui lisait des fables à sa maîtresse, le soir, au coin du feu, se révélait moins niaise qu'il ne l'avait crue. Une rente de quarante mille livres avait-elle le pouvoir de changer une délicieuse demoiselle en un mélange d'Harpagon et de Machiavel ?

Il se retira dans sa mansarde, moins à cause de l'accablement de ses constatations que pour méditer un ajout à ses *Lettres philosophiques de Londres*. Le sujet de ce nouveau paragraphe porterait sur les héritières anglaises et sur l'effet pervers des livres sterling sur les consciences anglicanes les plus pures.

CHAPITRE QUINZIÈME

Comment un alligator acheta de la philosophie à vente forcée.

De même que les coups de tonnerre précèdent la tempête, la porte du petit hôtel de Fontaine-Martel s'ouvrit avec fracas devant l'orpheline inconsolable, qui investit la maison comme une tornade. La rapidité avec laquelle Mme d'Estaing avait été avertie de la trouvaille confirma que ces murs avaient des oreilles.

— Vous tenez quelque chose ! s'écria-t-elle. Qu'est-ce que c'est ? Je veux savoir ! Ne me cachez rien ! Vous mentez !

Dans le sillage du cyclone marchait l'homme de loi rondouillard qu'elle avait déjà traîné à sa suite la première fois, et que ces exercices d'invasions barbares semblaient user de séance en séance. Au premier éclat de voix, les servantes calfeutrèrent Mlle de Grandchamp dans sa chambre de façon à la rendre invisible.

Voltaire tira de son portefeuille le papier qu'on réclamait et le montra à la déesse des vents et des orages.

— Ah, cela, fit-elle, ce qui était un peu court pour commenter la perte brutale d'un héritage considérable.

Son inquiétude se mua en une profonde perplexité. Elle s'était attendue de longue date à se voir privée des biens de sa mère. Leurs rapports, difficiles depuis toujours, s'étaient distendus au fil des ans. En revanche, elle n'avait pas imaginé un instant que les propriétés auxquelles les liens du sang lui permettaient de prétendre pussent tomber dans le giron d'une étrangère.

— Je me méfiais d'une autre sorte de péronnelle…, dit Mme d'Estaing.

— Mlle de Clère va être bien déçue, elle aussi, traduisit Voltaire.

Certes, la comtesse n'était pas contente, mais c'était une réaction bien pire qu'avait redoutée l'écrivain. En fait, il fut étonné de la placidité pour ainsi dire philosophique avec laquelle la fille spoliée prenait la consternante nouvelle.

D'une voix bien trop douce pour n'être pas inquiétante, Mme d'Estaing demanda où se trouvait « le petit serpent rouquin ». Les domestiques répondirent que la lectrice était sortie annoncer à sa tante cette heureuse conclusion. Ils faisaient corps autour de leur bienfaitrice, prêts à protéger leurs futurs legs d'un rempart vivant s'il en était besoin.

La comtesse donna un coup sec sur le bras de son avoué, plongé dans la lecture du testament.

— Dites quelque chose, vous !

Selon lui, la contestation s'annonçait ardue. Me Momet se chargerait de l'expertise légale en sa qualité de notaire ordinaire de la défunte. Si la signature était authentique, on pourrait toujours intenter une action en détournement d'héritage, ou faire déclarer la testatrice irresponsable à titre posthume. Cependant, les Picon n'étaient pas n'importe quelle famille, ils comptaient nombre de hauts fonctionnaires qui possédaient des appuis dans la robe et à la Cour, ils sauraient faire valoir les droits de leur parente sur cette manne providentielle. On obtiendrait, au mieux, un accommodement, en les menaçant d'une procédure coûteuse qui pouvait durer dix ans et risquait de ruiner les deux parties, à commencer par celle qui l'intenterait.

Après qu'on lui eut prédit son avenir juridique, Mme d'Estaing émit deux ou trois grognements, signe qu'elle réfléchissait, puis elle empoigna son conseil par la manche et quitta la maison pour conférer de ses projets en des lieux plus sûrs.

Voltaire resta seul avec ses pensées. La question de l'héritage réglée, un dernier détail subsistait : qui avait tué sa baronne? Il importait d'autant plus de débusquer l'assassin et de faire plaisir au lieutenant Hérault que l'écrivain avait sur les bras de brillantes *Lettres philosophiques* dont la police risquait de mal saisir l'innocuité.

Les trois héritières présomptives étaient suspectes, et, parmi celles-ci, la plus jeune lui était presque inconnue. Qui était cette demoiselle de Clère ? Que faisait-elle de ses journées ? Pouvait-elle avoir trempé dans le meurtre ?

Voltaire connaissait assez bien l'un de ses oncles, l'abbé de Rothelin, honorable savant qui était parvenu à occuper une place en vue dans le monde des idées. Il décida de l'inviter à prendre le thé sous prétexte de lui vanter ses *Lettres philosophiques,* qui constitueraient un excellent point de départ pour une conversation élevée.

Charles de Rothelin, prélat, homme de goût, éminent numismate et théologien reconnu, était l'un des plus grands bibliophiles de son temps. Il appartenait à l'Académie française et se voyait en passe d'entrer à celle des Inscriptions. Pour toutes ces raisons, on lui soumettait certaines œuvres à paraître, afin de recueillir ses conseils sur la manière d'éviter la censure ; Voltaire l'avait donc soigneusement embaumé d'encens dans son *Temple du goût,* un texte dans lequel il s'était permis de jeter tant de monde dans la fange. Quand on veut préserver sa liberté de plume, il convient d'être prévoyant.

Ce jour-là, Émilie avait entrepris de trier tout le contenu du cabinet de curiosités. Sa grossesse commençait à la gêner un peu dans ses mouvements, le rangement du musée des horreurs était un passe-temps moins ennuyeux que le tricot et moins fatigant que de courir Paris à la poursuite des assassins. Toutes les cinq minutes, elle envoyait une servante demander à Voltaire ce qu'il pensait de tel ou tel animal empaillé dont elle ne savait trop que faire. À la quatrième interruption, l'écrivain s'énerva :

— Quoi encore ? Vous avez trouvé une momie d'alligator qui vous paraît suspecte ?

— Non, j'ai trouvé Monsieur, dit la servante en s'effaçant pour laisser entrer un ecclésiastique tout de noir vêtu.

La momie d'alligator était un homme d'Église à qui son dos voûté par l'étude, ses yeux myopes et sa solennité un peu raide faisaient paraître quinze ans de plus. Voltaire l'accueillit à bras ouverts :

— Mon père ! Cher ami ! Quel bonheur ! Vous êtes mon sauveur !

Le plus alligator des deux n'étant pas le visiteur, Voltaire entama les manœuvres d'encerclement caractéristiques de la prédation carnassière. L'abbé passait pour avoir déjà réuni plusieurs milliers de médailles en tous genres.

— Tenez, en voici une de plus, déclara son hôte en dépliant sous ses yeux éblouis un mouchoir où reposait une monnaie romaine d'époque impériale.

Charles de Rothelin chaussa ses lorgnons pour examiner cet aureus avec une satisfaction très nette. C'était un petit prélèvement sur l'héritage de la baronne que Voltaire s'était permis d'opérer en toute honnêteté. Après tout, il œuvrait pour elle, pour découvrir son assassin, elle pouvait bien contribuer un peu à son effort.

L'abbé était enchanté.

— J'ai aussi un grand fonds d'études théologiques, déclara-t-il en plissant les paupières pour mieux voir les volumes qui s'étageaient le long des murs.

— Dans ce domaine, nous n'avons rien, déclara Voltaire avant de l'inviter à prendre un siège.

La maison de la baronne était totalement dépourvue d'ouvrages pieux, les livres qui s'y trouvaient n'étaient pas à mettre entre les mains d'un homme de foi. M. de Rothelin crut bon de présenter ses condoléances pour le décès de la propriétaire. Voltaire saisit la balle au bond, c'était l'occasion d'apitoyer le prélat.

— Je suis condamné à vivre ici jusqu'à la séparation de mes meubles d'avec ceux de ma baronne, se plaignit-il. Tout est mélangé! Mes intérêts sont compromis !

L'abbé lui demanda ce qui était à lui. L'homme aux meubles sous séquestres désigna, près de la fenêtre, un petit guéridon qui servait de soutien à un pot de fleurs.

Ce séjour forcé était au moins propice à l'écriture.

— J'ai toujours mon *Eriphyle,* dit l'écrivain avec résignation.

— Essayez les bains de siège, répondit l'abbé à tout hasard.

Voltaire laissa de côté les tragédies et les bains de siège, il avait en tête bien d'autres sujets de polémique.

— Voilà, dit-il en extrayant d'un tiroir une pile de feuillets couverts d'une écriture serrée. Pendant mon exil en Angleterre, j'ai commis quelques compositions inspirées par ce peuple bizarre et magnifique.

— J'espère qu'elles n'ont pas été dictées par un ressentiment contre le nôtre, dit l'abbé.

Voltaire affirma qu'un homme aussi sensé que son visiteur devait absolument apprendre de quoi traitait son livre.

— Sont-ce des vers ? s'enquit Rothelin, appâté mais méfiant.

L'écrivain arbora le sourire de l'auteur dont les souffrances n'ont pas été vaines :

— Encore mieux : c'est de la philosophie !

Rothelin fit le geste d'écarter une invisible chauve-souris qui s'invitait dans leur tête-à-tête :

— N'écrivez donc pas de philosophie, cher ami ! C'est dangereux ! Et parfois même un peu vulgaire, il faut le dire.

La bonne nouvelle, c'était que Voltaire ne souhaitait pas que l'abbé s'imposât la lecture de ses *Lettres anglaises* ; la mauvaise, c'était qu'il comptait les lui lire lui-même. Il se lança dans un exercice d'initiation à la pensée moderne pour l'édification des abbés influents, sans oublier d'éliminer discrètement les pages les plus subversives.

— Non – *tourne* –, pas ça – *tourne* –, vous allez vous ennuyer – *tourne*.

Il lui en lut les bons morceaux avec l'art et le métier d'un tragédien, si bien que les développements philosophiques prirent des allures de drame en péplum. On pouvait au moins dire que ce n'était pas lassant, à défaut d'être respectueux des bons principes.

Quand il jugea qu'on avait eu un assez large panorama de l'œuvre pour applaudir avec enthousiasme, l'auteur s'interrompit, laissa passer un silence recueilli et sollicita le verdict.

— Alors ? Que dit l'Académie ?

L'abbé de Rothelin lui aurait volontiers transmis ce que disait l'Académie, mais il se tut parce qu'il était homme d'Église, prudent, et poli de surcroît. Il était tombé sur un roué, mieux aurait valu se faire assaillir par des voleurs au coin d'un bois. À vrai dire, il n'était pas le premier que l'épistolier de la pensée britannique gratifiait d'extraits choisis. Certains commentaires enflammés avaient déjà frappé ses tympans.

— On m'avait dit que vous parliez de religion…

Voltaire fit sa mine de renard surpris avec une poule sous la patte.

— Vraiment ? Qui a dit ça ? Moi ? La religion ? Je ne parle que de sectes protestantes impies et excommuniées !

C'était pour cela, sans doute, qu'il employait, pour en parler, des adjectifs aussi sévères. Ses commentaires sur les sectes protestantes avaient tout d'une attaque en règle contre les évêques catholiques. On pouvait prévoir des objections.

— Certains paragraphes posent un problème, dit Rothelin sans trop s'avancer. Par exemple, lorsque vous traitez les rois de tyrans…

— C'est une image !

— Ou lorsque vous mettez en doute la nature de Dieu…

— Une image !

L'abbé jugea qu'il aurait fallu à ce texte moins d'images et plus de respect des convenances.

— Je ne veux pas mettre dans mes écrits les idées de tout le monde ! plaida le philosophe.

C'était sans doute pourquoi ses textes ne recueillaient l'agrément de personne. Il faisait grand éloge de l'Angleterre, mais on avait l'impression que c'était surtout pour décrier la France.

— À vrai dire, puisqu'il s'agit des Anglais, dans ce livre, vous auriez plus de facilité à le faire agréer par leur Académie à eux.

Hélas, n'ayant pas eu de Richelieu ni de Mazarin, l'Angleterre n'avait pas non plus d'Académie. C'était la grande lacune de cette brillante civilisation. Là-bas, on ne distribuait pas aux gens de lettres des fauteuils sous les lambris de la Couronne, on ne leur accordait que de la considération et des livres sterling. Ils étaient fort à plaindre.

L'abbé fut très embarrassé.

— Je ne vous dis pas non…

Voltaire en déduisit qu'on lui disait oui. C'était supposer beaucoup de bonhomie aux institutions françaises. De guerre lasse, Rothelin promit du bout des lèvres qu'on lui donnerait un accord tacite, pourvu qu'il adoucît certaines expressions :

— Voyez-vous, il ne faudrait choquer personne.

— Si je renonçais à choquer, je n'écrirais plus que des tragédies ! s'écria le penseur génial.

— Et vous y réussissez fort bien, je vous encourage à poursuivre dans ce domaine, tenta l'abbé, qui pouvait se montrer d'une incroyable perfidie.

Moins doué que son interlocuteur pour déguiser ses opinions, il finit par se risquer à exprimer le fond de sa pensée :

— Voulez-vous mon avis ? Ne les publiez pas. Vivez simplement. Contentez-vous de ce que vous pouvez avoir. Tenez : soyez sage et nous vous élirons pour siéger parmi nous !

Autant dire qu'on lui proposait d'entrer à l'Académie s'il cessait d'écrire. On lui ouvrirait la porte du poulailler s'il se faisait chapon.

Ils se quittèrent sur ce statu quo qui n'arrangeait personne. L'abbé se dit qu'après tout ce n'était pas lui que l'on brûlerait en place publique.

Depuis son antre aux curiosités, Émilie l'entendit descendre l'escalier. Elle vint s'enquérir du succès de l'entretien.

— Qu'a-t-il dit de sa nièce ?

— De qui donc ? demanda l'écrivain, plongé dans ses papiers, à la recherche de ce qu'il pouvait retrancher de ses *Lettres* pour complaire aux censeurs sans nuire à la philosophie.

La marquise leva les yeux au ciel.

Elle courut après l'abbé pour lui poser elle-même les bonnes questions et le cueillit au bas des marches, comme il enfilait sa cape et ses gants. Il était encore plus voûté qu'à son arrivée. C'était un homme sur qui pesait les poids conjugués de la pensée et de sa censure. Contrairement au lutin polygraphe qui jubilait à l'étage, il devinait que la parution des *Lettres* ne se ferait pas sans remous. Il gémissait à l'avance de voir son nom bousculé pour des idées qui n'étaient même pas les siennes.

Les préoccupations de Mme du Châtelet étaient plus prosaïques. Elle eut la bonté de s'enquérir des mœurs, goûts et habitudes de Mlle de Clère. Rothelin fut soulagé de s'entendre interroger sur sa nièce. Enfin un sujet qui n'engageait ni l'Académie ni la morale, et dont il pourrait même se faire valoir auprès de sa sœur !

De retour dans l'appartement du philosophe, Émilie trouva celui-ci penché sur ses propres écrits.

— Heureusement que je suis là pour faire avancer l'enquête ! dit-elle.

— Et moi, j'ai fait avancer la cause de la philosophie, se défendit Voltaire. C'est aussi quelque chose !

CHAPITRE SEIZIÈME

Où il n'est question que de saintes, d'anges et de papillons.

Trois héritières en puissance, cela voulait dire trois suspectes, donc trois enquêtes de moralité à conduire simultanément et le plus vite possible : la première autour de Mlle de Clère, dont on savait trois fois rien, la deuxième sur Mme d'Estaing, dont on savait davantage qu'on ne l'aurait voulu.

— Je choisis la jeune fille ! s'empressa de déclarer Voltaire.

Il laissait la surveillance de l'illuminée à ceux que les fantaisies jansénistes ne rebutaient pas.

Émilie accepta de filer Mme d'Estaing dans ses bonnes œuvres. Cette dame irait sûrement dans des lieux où une femme de bon ton pouvait se montrer. Quant à Voltaire, suivre une gamine, quand on a quarante ans, présentait certains périls qu'il ne mesurait pas.

Linant se chargea de la petite chanceuse rouquine, une tâche qu'on s'accordait à considérer comme sans danger ni surprises.

Toute sa vie, Émilie avait été servie : elle savait que les indiscrétions les plus sûres s'obtiennent auprès des domestiques. Elle commença par faire porter deux écus à l'une des bonnes de Mme d'Estaing, afin d'être avisée du programme et des horaires de sa maîtresse. Il apparut que l'enquêtrice allait devoir se divertir d'une messe et d'une visite aux malheureux des hôpitaux, et que ces plaisirs commenceraient dès prime, c'est-à-dire à l'aube.

Elle se rendit donc chez la comtesse avant le lever du jour et patienta dans sa voiture, tout juste sèche de son immersion dans la Seine, jusqu'à l'apparition de la dévote.

Avec la messe de Mme d'Estaing, on était loin des frous-frous d'un dimanche à Versailles. La comtesse disparut dans une petite église terne et retirée, presque un lieu caché, un recoin pour initiés. Aurait-on dit à Émilie qu'on s'y réunissait pour trafiquer du sel de contrebande, elle l'aurait cru sans hésitation.

Elle pénétra à regret dans cette sombre chapelle où tout respirait l'austérité la plus sinistre, autant dire un trou peuplé de chauves-souris humaines. On devait s'amuser davantage dans les cryptes romaines où les premiers chrétiens célébraient leur culte en cachette de la chiourme païenne qui les traquait pour les livrer aux lions. Les compagnons de la comtesse montraient une dévotion acharnée et anxieuse, comme si les fauves des arènes les avaient guettés à deux pas de la porte.

Il ne fallut pas longtemps à Émilie pour comprendre que les accusations du philosophe n'étaient pas sans fondement. C'était bien à une messe janséniste qu'on l'avait menée, sous un christ dont les bras à la verticale exprimaient l'idée que les élus seraient très peu nombreux. Si le culte catholique était ennuyeux par nature pour ceux qui ne croyaient pas à la présence réelle, celui que pratiquaient les admirateurs de Jansenius était une épreuve. Dans son sermon, le curé dressa une liste de mécréants voués aux flammes éternelles : les philistins, les sodomites, les adultères, les athées, les ministres du roi qui soutenaient la répression de la vraie foi. Quand il se mit à citer des noms, la marquise constata que celui de Voltaire suscitait des signes de croix nerveux. Il sembla qu'aucun châtiment, terrestre ou divin, ne fut assez dur pour ceux qu'on accusait d'entraver la vérité répandue par ce Dieu de bonté et de clémence.

Ce fut sentencieux, moralisateur, bien-pensant, misérabiliste et surtout interminable. La marquise eut l'impression d'être un démon coincé au milieu d'un exorcisme. Elle n'aurait pas hésité à plonger dans les entrailles brûlantes de la terre pour mettre fin à ce supplice, quitte à s'en aller parler philosophie avec Lucifer. Si le diable était aussi cultivé que Voltaire, sa conversation devait être préférable aux litanies endurées dans ce saint lieu.

Mme d'Estaing suivait la messe en compagnie de son cocher, ce qui prouvait qu'elle n'était pas bégueule. La marquise en conclut que cette dame n'hésitait pas à enrôler ses domestiques dans sa secte ou à les y choisir. Quant à elle, si tolérante et philanthrope qu'elle fût, on ne l'aurait pas fait asseoir à côté de sa femme de chambre.

La communion terminée, on passa à la seconde partie des réjouissances : la comtesse s'en fut répandre des secours à l'hôpital. Émilie poussa un soupir de soulagement en remontant en carrosse : tout lui serait plus agréable que les rites jansénistes.

On s'arrêta rue de Sèvres, dans le quartier du Luxembourg, devant l'asile des Petites Maisons, établissement dédié au séjour des insensés, faibles d'esprit, vieillards séniles, enfin de tout ce qui avait été déclaré incurablement fou par l'Hôtel-Dieu. C'était un ensemble de pavillons bas disposés autour de cours. On y logeait plus de quatre cents personnes à la charge du Grand Bureau des pauvres.

La comtesse parcourut les lieux comme Jésus dans le désert, en répandant la bonne parole et des brioches. Elle était en territoire conquis, il y avait même là quelques anciens convulsionnaires de sa chapelle, que le lieutenant de police Hérault avait fait déclarer hallucinés pour éviter à leurs familles la honte d'une réclusion à la Bastille.

Mme d'Estaing passa de fou en fou, assistée d'une religieuse qui lui décrivait l'état et les progrès de chacun. Elle aurait eu des allures de sainteté, même aux yeux de la marquise, si celle-ci n'avait su à quoi s'en tenir sur les opinions de la bienfaitrice. Son amour de l'humanité, qui lui faisait distribuer des biscuits et des encouragements, ne l'empêchait pas de souhaiter la mort des philosophes et du gouvernement dans les pires tourments prévus par le tribunal céleste.

Les déments, les infirmes, les malheureux de tout poil lui faisaient fête. Si la comtesse n'était pas aimée dans les salons, elle l'était dans les asiles. Les philosophes détestaient ses convictions, les pauvres lui baisaient les mains. Les rentières la déshéritaient, les démunis la portaient aux nues. Il était difficile de soupçonner une personne si occupée de piété et de bonnes œuvres d'avoir empoisonné, poignardé ou étouffé sa propre mère. L'imagination d'Émilie lui permettait de se figurer la valse des étoiles dans le firmament de Newton ; le paradoxe des sentiments excédait ses capacités.

Quand elle sortit de ses réflexions, elle vit qu'elle avait été repérée. La comtesse la félicita de secourir, elle aussi, les miséreux et les malades. Elle avait noté sa présence dans « notre église ». Elle la complimenta sur sa grossesse et lui offrit son bras pour continuer la promenade dans le jardin du délire et des obsessions.

Ses pauvres étaient surtout des pauvres d'esprit. Entre deux galettes, elle leur distribuait des images pieuses. C'était des portraits du fondateur de sa foi, Cornélius Jansen, ou du diacre Pâris, sur la tombe de qui s'accomplissaient tant de miracles. Elle accompagnait le cadeau d'un « priez pour notre cause car nous prions pour vous » ou d'un « Dieu guérit ceux qui entrent dans sa grâce ».

Émilie, qui n'avait pas d'images pieuses à distribuer, se crut obligée de vider sa bourse entre les mains de la bonne sœur, afin qu'on ne se demandât pas ce qu'elle faisait là.

Elle s'offrit à raccompagner Mme d'Estaing chez elle dans sa voiture. La comtesse, très satisfaite d'avoir fait une convertie, l'engagea à réitérer ces exercices au plus tôt pour le salut de son âme.

Avant de refermer la porte, la bonne qui avait instruit la marquise lui souffla discrètement :

— Revenez demain matin : on ira à l'hospice de Bicêtre.

« Un autre asile, merci bien », songea Émilie. Sa journée du lendemain serait consacrée à entendre un opéra chanté par des sopranos à la cuisse légère et des castrats bien dodus, tous recouverts de plumes, de verroterie et de dentelles.

De son côté, Voltaire sauta dans un fiacre qui passait devant la maison – encore cette même odeur dégoûtante et malsaine qui lui donnait l'impression de poser son postérieur dans un lupanar pour marins en rut – et se fit conduire dans la rue où habitaient les Martel de Clère.

Mlle de Clère ne tarda pas à paraître, en robe abricot et petit chapeau assorti, des mitaines blanches aux mains et une écharpe rose autour du cou. Elle était accompagnée de son précepteur, un religieux à petit collet plutôt revêche. Ils montèrent en voiture et prirent la direction de la Seine.

— Suivez ce carrosse ! cria Voltaire à son cocher, qui haussa les épaules avant d'obtempérer.

Plusieurs fois, l'écrivain craignit de perdre sa trace. On ne dira jamais assez combien les encombrements de carrosses dans les rues de Paris sont une gêne pour les filatures.

La voiture s'arrêta devant les grilles du Jardin des plantes. Voltaire régla sa course et se hâta vers le parc. Le voyant emboîter le pas de la demoiselle, le postillon en tira des conclusions qui n'auraient pas fait de bien à la réputation du philosophe.

Celui-ci crut d'abord qu'on menait l'adolescente au jardin zoologique pour donner du pain aux antilopes. C'était rabaisser les ambitions de la demoiselle. Elle se dirigea vers le bâtiment où les professeurs prodiguaient des leçons ouvertes au public, en français, non en latin comme dans les facultés. Mlle de Clère et son précepteur rejoignirent les visiteurs pour qui l'on détaillait les curiosités en exposition. Le maître et son élève étaient visiblement habitués de ces séances. Les femmes modernes se piquaient d'être des femmes savantes. Voltaire se mêla au groupe, à la fois pour les besoins de son enquête, et aussi parce qu'il ne faut jamais manquer une occasion de s'instruire.

Marie-Françoise de Clère était une petite brune aux yeux marron, en qui se devinait une grande détermination. Il eut la conviction qu'elle appartenait à ce genre de personnes dont rien n'entrave les desseins, et surtout pas l'absence de beauté ; ces femmes à qui une alchimie innée permet de renverser tous les obstacles et d'obtenir toujours ce qu'elles désirent, peut-être grâce à une absence totale de scrupules ou à un manque de compassion qui sont, dans nos sociétés complexes, un atout pour les ambitieux comme pour les criminels.

La matinée se passa entre zoologie et botanique. Lorsqu'on leur présenta le datura, plante d'Amérique à grosses feuilles dont on tire divers médicaments, Mlle de Clère répondit brillamment à toutes les questions qu'on leur posait : elle connaissait déjà. Elle aurait mieux aimé discuter de la cantharide, ce scarabée dont, apprirent-ils du professeur, on tirait un poison et un stimulant tout aussi efficaces l'un que l'autre.

Voltaire était en extase. Une jeune fille apothicaire et herboriste ! C'était l'épouse qu'il lui aurait fallu ! S'il avait appris qu'elle savait préparer un lavement et user d'un clystère, il aurait demandé sa main dans ces allées, entre les rhododendrons et les cèdres du Liban à feuillage persistant.

Il approuvait fort, en lui-même, tant l'enseignement que l'attention de celle qui le recevait. Il ne connaissait rien de plus séduisant qu'une belle femme intelligente et ferrée sur les matières les plus diverses. L'alliance de la fraîcheur et de l'esprit avait pour lui des attraits irrésistibles. Il ne croyait pas aux anges, il croyait aux jeunes filles instruites. Il fut ravi de voir sa suspecte s'intéresser aux oignons et aux tubéreuses, promener ses doigts fins sur les tiges effilées, toucher les insectes carnivores du bout de son fusain. Il se félicita d'avoir choisi de suivre ce papillon plutôt que l'affreux scorpion noir dont avait hérité la marquise du Châtelet.

Lors de la pause, il l'entendit discuter confitures avec les autres dames. Elle expliqua que sa mère recevait des produits de leurs terres normandes, avec lesquels elle s'essayait à la conservation des fruits par cuisson et adjonction de sucre. Botanique et confiture, le tableau était charmant.

L'écrivain fit soudain un rapprochement : plantes bizarres chez le botaniste, produits toxiques chez l'entomologiste, confiture de pommes chez les Martel de Clère... Le mélange était détonant. Une affreuse intuition se fit jour : son papillon était vénéneux.

Il en était là de ses inquiétudes quand le précepteur, qui l'avait repéré depuis un moment, vint le prier discrètement de cesser de suivre les jeunes filles innocentes, sans quoi on n'hésiterait pas à l'envoyer s'expliquer au poste de police.

Voltaire décida que la surveillance avait assez duré, il quitta le jardin à la recherche d'un fiacre.

Curieusement, le premier qui se présenta fut le même qui l'avait amené. L'écrivain supposa que cet homme était allé déjeuner et que le hasard les réunissait à nouveau. Son sens de la destinée et des causes cachées avait été endormi par la fin déplaisante de la visite. À vrai dire, le cocher était parvenu aux mêmes conclusions que le précepteur, qui fusillait Voltaire du regard depuis l'entrée du parc :

— Monsieur me pardonnera, mais ce n'est pas très correct, pour un monsieur comme Monsieur, de tourmenter les petites filles, à l'âge qu'a Monsieur.

Satisfait de s'être fait le propagandiste des bonnes mœurs, le cocher emmena le vieux cochon, qui boudait sur sa banquette.

Les trois comploteurs se retrouvèrent chez Mme de Fontaine-Martel pour échanger leurs impressions sur la moralité des Parisiennes au mois de février.

Linant leur fit le récit de sa journée sur les traces de la lectrice. De cette bonne demoiselle, selon lui, il n'y avait rien à dire. Le gros abbé venait de vivre la parfaite journée d'une jeune femme bien élevée. On le pria de détailler un peu ces pérégrinations parfaites.

Si les deux autres policiers amateurs avaient eu à suivre des démons, quoique dans des genres différents, il n'avait suivi, lui, que les évolutions célestes d'un ange. Victorine était allée faire une visite, sans doute à quelque vieille parente fortunée, car elle était entrée dans un hôtel cossu de la rue de Richelieu dont la façade était ornée d'une sculpture de bois de cerfs.

L'évocation plongea son auditoire dans la perplexité.

Elle y était restée un peu plus d'une heure, après quoi elle était passée chez un petit bijoutier du cul-de-sac Saint-Pierre, sûrement pour y regarder les bagues de fiançailles, plaisir bien anodin.

Voltaire se fit préciser l'adresse. C'était une échoppe discrète, située au fond d'un passage, et dont la porte était ornée d'un candélabre à sept branches.

Puis elle avait rejoint un jeune homme vêtu comme un clerc d'étude notariale, sans doute un sien cousin, car ils s'étaient promenés bras dessus bras dessous et avaient disparu à l'intérieur d'une maison ; le bon abbé les avait attendus dans un café.

— Elle est ressortie seule, je présume, dit l'écrivain, la mine lasse, tandis que la marquise hésitait entre le rire et l'embarras.

Il avait deviné juste. Voltaire et Émilie échangèrent un regard affligé. Mlle de Grandchamp avait pris de l'avance sur les bienfaits que la vie offre à une femme mariée. La naïveté du gros abbé était consternante. L'écrivain se chargea de lui ouvrir les yeux.

— Si je vous entends bien, Victorine est d'abord allée à l'hôtel de Gesvres, où l'on joue de l'argent quelle que soit l'heure du jour ou de la nuit. Après quoi votre parangon de pureté a déposé un bijou en gage chez le Juif du cul-de-sac Saint-Pierre, ce qui signifie qu'elle a des dettes à rembourser. Puis elle a rejoint son amoureux, je n'ose dire son fiancé, car on épouse peu les demoiselles qui vous ont déjà tout accordé, comme en témoigne le fait qu'elle soit montée chez lui pour en ressortir seule.

Le gros abbé tomba des nues. Il leur demanda comment ils étaient au fait de toutes ces turpitudes. On lui répondit que c'était des choses que l'on savait quand on ne sortait pas d'un séminaire normand.

— Quelle horreur, murmura-t-il.

Émilie éclata de rire.

— Voyons ! De petits écarts n'engagent pas la moralité d'une femme de goût !

— Certes, certes, répondit-il à la gourgandine.

En résumé, Mme d'Estaing était une thaumaturge qui visitait les hôpitaux pour y porter la bonne parole auprès des fous, certainement les personnes les mieux habilitées à la comprendre. Victorine de Grandchamp était une sainte-nitouche qui cachait son jeu derrière ses mèches rousses. Mlle de Clère nourrissait une inquiétante passion pour les confitures et les substances néfastes, deux domaines qu'il est périlleux d'associer.

Linant était atterré. Il allait devoir s'habituer à vivre dans un monde où les demoiselles engageaient dans des tripots des héritages qu'elles n'avaient pas encore touchés, où les filles de bonne famille étudiaient les poisons, où les philosophes jouaient les enquêteurs pour le compte de la police, où les marquises aimaient mieux courir Paris sur la piste des criminels que de préparer la layette de leur bébé.

CHAPITRE DIX-SEPTIÈME

Voltaire éblouit son auditoire
et assombrit l'humeur des policiers.

Le jour suivant, Voltaire tâchait d'avancer la préparation de ses *Lettres philosophiques anglaises*, attendues avec tant d'impatience par l'Académie et l'élite du bel esprit, quand Mme du Châtelet se présenta.

— Que voulez-vous de moi, enfin ? demanda-t-il, un peu agacé, la plume en l'air.

— Que vous m'expliquiez la réforme de l'entendement selon Spinoza, la métaphysique de Malebranche et le sens de la vie ; accessoirement, un peu de distraction me suffira.

— Nous commencerons par là.

Ils étaient las des saintes, des petites menteuses et des abbés idiots. Ils décidèrent de manger dehors, pour changer d'air. Comme il n'était pas question de mettre les pieds dans une auberge crasseuse et que l'on n'avait pas encore inventé d'endroit où l'on vous servît ce que vous désirez sur une nappe blanche et repassée, il s'agissait moins de dîner dehors que de dîner dans le dedans de quelqu'un d'autre. Les bonnes tables chargées de mets raffinés étaient chez les particuliers. Ils choisirent, parmi les bonnes adresses, une connaissance assez intime pour les recevoir à l'improviste, dotée d'un cuisinier habile et d'un intérêt pour la philosophie, et l'on fit porter un billet ainsi rédigé :

La marquise du Châtelet et monsieur de Voltaire aimeraient prendre des nouvelles du duc de Richelieu.

À cette heure-là, cela voulait dire qu'ils étaient disponibles pour déjeuner. Le valet leur rapporta au bout d'une heure leur propre message, au dos duquel on avait écrit :

Le duc de Richelieu a bon pied, bon œil et bon appétit. Il vous prie de venir vous en assurer.

Émilie ajouta quelques fanfreluches à sa toilette et l'on se mit en route.

Grand dépensier, galant notoire, Louis-François-Armand de Vignerot du Plessis, arrière-petit-neveu du célèbre ministre de Louis XIII, était un ami commun au philosophe et à la marquise; plus exactement, il était client de l'un, à qui il avait emprunté sans le savoir par l'entremise de Dumoulin, et avait été très proche de l'autre, comme de toutes les dames de bonne mine et de mœurs élastiques qui passaient à sa portée. Mme du Châtelet le précisa quand Voltaire lui demanda de quelle façon ils avaient été liés :

— Nos maris nous épousent pour leur plaisir. Si nous voulons en avoir nous aussi, nous devons prendre des amants.

Voltaire avait prévu de payer leur repas en donnant à la compagnie un aperçu de ses *Lettres philosophiques*. C'était une monnaie dont il usait volontiers, elle était acceptée chez tous les gens instruits et il en possédait un fonds inépuisable.

— Ainsi notre hôte sera enchanté de nous avoir chez lui.

— Ou bien on nous jettera dehors, s'inquiéta la marquise, à qui les réticences de l'abbé de Rothelin n'avaient pas échappé. Qu'ont-elles de si choquant, vos *Lettres* ?

— J'y défends la liberté de penser.

— Allons donc ! Vous n'avez peur de rien !

Il avait peur de tout, mais la défense de la liberté était chez lui une impulsion irrésistible :

— J'aimerais mieux mourir que de n'écrire point.

Elle le prévint qu'il risquait d'obtenir l'un et l'autre.

Le carrosse les déposa devant l'hôtel de brique et de pierre de la place Royale[1], propriété des Richelieu depuis près d'un siècle. Le maître de maison les accueillit dans son salon du premier,

---

1. Aujourd'hui place des Vosges, n° 21.

où quelques invités étaient déjà réunis. Les deux hommes étaient à peu près du même âge et avaient reçu la même éducation, ils s'entendaient à merveille. Voltaire appelait le duc « mon héros », monseigneur le nommait « notre génie ».

— Vous connaissez mon mari, la marquise du Châtelet..., dit l'écrivain en s'effaçant devant Émilie.

— Ma femme s'appelle Voltaire, enchaîna aussitôt celle-ci.

Le duc affichait une surprise ravie.

— Voltaire ! Cher ami ! On m'avait dit que vous étiez mort !

— Oui, mais j'ai ressuscité.

Le duc de Richelieu se tourna vers ses invités pour leur annoncer le clou de son dîner : Voltaire.

— Voltaire ? s'écria un admirateur. L'auteur de *Zaïre* ?

— Et d'*Eriphyle* ! ajouta l'écrivain.

On opina du chef d'un air entendu, avant de murmurer : « Qu'a-t-il dit ? »

On dîna en devisant de choses et d'autres. C'était un repas intime, on ne servit que quatre potages, six entrées, dix hors-d'œuvre, huit rôtis, six entremets et une quinzaine de desserts pour moins de vingt convives. Voltaire était toujours excellent dans ces réunions de beaux esprits. Nul n'avait plus de culture, de mémoire ni d'à-propos, surtout pour ce qui touchait à son sujet favori : la vie et l'œuvre de Voltaire.

Vint le moment d'une bonne lecture. On prit place dans les bergères, de part et d'autre de la cheminée, et le duc fit servir le moka tandis que l'on prisait ou que l'on chiquait. Le philosophe réclama son portefeuille, dont il tira une liasse de pages manuscrites.

— J'avais d'abord pensé vous montrer mon *Eriphyle*.

On s'attendit à le voir baisser sa culotte pour exhiber quelque affreux bubon.

Soucieux de récompenser leur hôte à la hauteur de sa générosité, il voulait leur donner la primeur d'une œuvre qui, dit-il, venait tout juste de recevoir l'agrément de l'Académie, à défaut d'avoir encore celui de la censure.

La lecture faite, on se dit qu'il avait raison de la diffuser avant que les censeurs ne se prononcent. La puissance de son raisonnement et la finesse de son observation étaient devenues des lames dont il lardait l'absolutisme royal, le système féodal, les préjugés et l'omnipotence de l'Église catholique.

— C'est... bouleversifiant! déclara l'un des auditeurs, qui en perdait son vocabulaire.

— Monsieur, dit Voltaire, vous commettez un abus de langage, j'ai écrit un petit traité à ce sujet, je vous conseille de le lire.

On pouvait même le lui procurer à prix de faveur.

Émilie proposa une partie de cavagnole, au grand dam de l'auteur, qui aurait bien lu quelque chose d'autre. Ce qui le vexa le plus fut de voir ses admirateurs se jeter dans le jeu comme s'ils fuyaient un pensum. Le temps de la réflexion était passé, nulle philosophie ne pouvait concourir contre un jeu entièrement fondé sur le hasard, vrai repos pour l'intelligence de ceux qui en avaient et seul dérivatif pour ceux qui n'en avaient pas.

Il fallut patienter trois bonnes heures avant d'espérer arracher la marquise à l'enfer des jetons et de la fortune aux yeux bandés.

Ils roulaient vers la rue des Bons-Enfants, la nuit d'hiver était déjà tombée, il avait neigé. Émilie vit bien que le grand homme boudait. Revenue de ses égarements et un peu honteuse d'y avoir cédé, elle le félicita du bon accueil qu'avaient reçu ses *Lettres* dans le salon des Richelieu. Quant à lui, il était déçu. C'était des perles jetées aux cochons, il s'était attendu à des applaudissements plus fournis. De toute évidence, l'audace de son propos déconcertait.

— Je ferais mieux de garder mes écrits pour moi et d'en priver le monde, mais je n'ai pas cette cruauté.

La marquise lui objecta qu'il y avait là-bas plusieurs hommes de lettres tout à fait en mesure de comprendre et d'admirer la portée de son travail. Il haussa les épaules.

— Tout le monde peut apprécier un bon livre, sauf un écrivain. S'il n'y avait que des écrivains en France, ce serait chaque jour la Saint-Barthélemy. Jamais ils ne diront du bien de mes œuvres, ou alors après ma mort : seuls les morts ne font plus d'ombre.

Émilie ne se sentait pas de taille à lutter contre une vanité d'auteur blessée. Mieux valait discuter de leur enquête.

Ce qui la frappait le plus, dans cette affaire de meurtre, c'était qu'on n'y rencontrait que des personnes du beau sexe. Ils recherchaient une criminelle en jupon.

Si féroces que soient ces femmes, Voltaire doutait qu'il s'en soit trouvé une pour attaquer sa baronne au couteau. Il admit néanmoins que leur conduite le poussait à reconsidérer quelques certitudes sur la nature féminine.

Parvenus dans le quartier du Palais-Royal, où l'on tenait tant de tripots, ils aperçurent une silhouette familière qui sortait de l'hôtel de Gesvres, connu pour abriter des salons où l'on jouait et d'autres où l'on se livrait à des activités encore pires. Une fille pendue à chacun de ses bras, Beaugeney, le valet de Mme de Fontaine-Martel, avait la figure rougeaude d'un homme qui a bu.

— Moi, je ne garde pas les domestiques sans moralité, dit Émilie.

— J'ignorais que vous étiez à cheval sur les bonnes mœurs, ma chère.

— Un serviteur qui dépense à tort et à travers ne tardera pas à chercher dans vos tiroirs de quoi subvenir à ses besoins. Je n'emploie que de bons chrétiens mariés, craignant Dieu et leur curé.

Voltaire songea que cela faisait une moyenne avec leur maîtresse.

— Il appartient aux subalternes de montrer le bon exemple, pour le bien de la société, insista la marquise. On ne peut pas demander la même chose aux riches, cette cause-là est perdue depuis Saint Louis.

— Je me suis laissé dire que le sujet de Saint Louis est beaucoup plus controversé qu'on ne nous l'enseigne, nota Voltaire, qui s'était longuement penché sur la vie des rois de France.

Ses travaux historiques l'auraient bien porté du côté du siècle de Louis IX, mais il y avait renoncé. Un mot de travers sur le monarque sanctifié et on ne se serait pas contenté de brûler son ouvrage en place de Grève.

Une fois arrivés chez Mme de Fontaine-Martel, Voltaire laissa la marquise se mettre au chaud et resta donner ses ordres au cocher. Il s'apprêtait à la rejoindre quand une ombre sinistre lui barra le passage tel saint Michel devant les anges déchus, à moins que ce ne fût le Reproche devant le Crime. L'écrivain poussa un cri, brandit sa canne à bec-de-corbin, prêt à frapper le malfrat qui oserait s'en prendre à la conscience de ce siècle. Une poigne de fer saisit le bâton et l'immobilisa aussi facilement qu'un fétu de paille.

Cette poigne était celle de René Hérault, le riant lieutenant général de police, avec sa mine de pourvoyeur de chair fraîche pour les cachots moisis de la Bastille. Le premier soulagement passé, Voltaire regretta de n'avoir pas affaire à un bandit. S'attendant à être incriminé, il se posa d'emblée en victime.

— Monsieur le Lieutenant général ! Je fais appel à votre compassion ! On a essayé de me tuer !

La compassion n'était pas le sentiment qui dominait chez ce haut serviteur de la Couronne.

— Vraiment ? fit celui-ci sans même lever un sourcil.

Voltaire lui résuma l'attentat qui l'avait jeté dans les eaux bourbeuses de la Seine, bien que le premier policier de Paris sût probablement l'aventure dans ses moindres détails. Il était évident qu'un meurtrier inconnu avait résolu la perte du brillant écrivain. La réaction du lieutenant fut très décevante :

— Voilà un bien grand effort pour écraser une mouche.

— Qu'allez-vous faire à l'encontre de ce barbare ? s'enquit la victime.

— Lui adresser mes félicitations. Et mon assassin à moi ? Des nouvelles ?

— C'est probablement le même homme.

— Très bien. Nous le cueillerons sur votre cadavre, cela nous fera une affaire de résolue.

Hérault avait lui aussi ses doléances. Un murmure de scandale commençait à s'élever dans le sillage des *Lettres philosophiques*, depuis l'Académie jusqu'à la place Royale. Il était temps que les autorités s'entretinssent avec leur auteur. Mimant la surprise avec un art consommé,

Voltaire se défendit d'avoir rien fait de répréhensible :

— Je couche sur le papier de petites pensées sans conséquences, elles tombent sous les yeux de quelques amis, cela plaît, le public s'en empare, les répand, et voilà que les ennuis pleuvent sur moi, qui n'ai rien fait qu'écrire !

— C'est déjà trop, dit Hérault de sa voix de Pluton sur le Styx.

— Une nation qui écrit est une nation qui progresse ! plaida l'écrivain.

— Oui, mais dans quelle direction ? dit Pluton.

La Cour eût préféré que l'on fît du surplace ; de même l'Église, les parlements et le corps des officiers de Sa Majesté dans son ensemble. Cela faisait un grand nombre de pieds pour freiner quelques rares cerveaux déterminés à avancer.

Hérault avait heureusement des préoccupations plus urgentes, comme celle de mettre des bâtons dans les roues du lieutenant civil d'Argouges, à qui il avait de plus en plus de mal à cacher les meurtres dont la noblesse, et notamment la baronne, avait été la cible. Il exigea de savoir si l'enquête discrète confiée à l'éminent penseur avait progressé. Dans la négative, c'était la lettre de cachet signée du roi qui risquait de se déplacer vers la Bastille.

Peu désireux de retourner coucher dans cette forteresse, Voltaire se vit contraint de donner du grain à moudre à ce protecteur exigeant. Il lui livra ses dernières conclusions : les principales suspectes étaient une réunion de saintes femmes, d'anges de bonté et d'amateurs de botanique.

— Oui, nous savons que ce sont des pestes, des intrigantes et des coureuses, coupa le lieutenant général. Qui d'entre elles est la meurtrière, à votre avis ?

Voltaire n'avait aucune raison de faire du tort aux deux plus jeunes. Son choix fut bientôt arrêté.

— Mme d'Estaing, sans aucun doute !

Hérault lui conseilla de lui en apporter la preuve au plus vite. Les mânes de Mme de Fontaine-Martel et le gouverneur de la Bastille réclamaient cela de lui, il allait devoir satisfaire l'un des deux.

Tandis que ce fantôme de policier s'enfonçait dans la nuit, Voltaire se demanda si sa santé n'allait pas lui imposer un voyage en terre étrangère.

CHAPITRE DIX-HUITIÈME

Où l'on découvre
que les images projetées sur un écran
sont un divertissement sans avenir.

De retour chez la baronne, Voltaire intercepta un cordial qu'on avait préparé pour Émilie. Le verre à la main, il rejoignit la marquise dans le petit salon et lui fit part de ses soucis. Peut-être Linant avait-il du nouveau. Où était-il ? On l'ignorait.

Interrogée, la servante qui apportait le cordial de remplacement expliqua que M. l'abbé avait été tout content de remettre la main sur certaine vilaine boîte en fer-blanc dont il s'était emparé pour disparaître dans les étages.

— Quelle vilaine boîte ? demanda Voltaire.

Il affirma bien haut son intérêt pour toutes les vilaines boîtes que l'on pourrait trouver chez sa baronne, aussi lui apprit-on que la cuisinière avait découvert un objet bizarre dont la description ressemblait fort à leur lanterne magique. Elle l'avait dénichée en vidant un placard à provisions de la cuisine.

Nos héros remirent à plus tard les recherches destinées à établir qui s'était permis de cacher leur lanterne. Ils montèrent l'escalier et poussèrent la porte du cabinet de curiosités. Une vive lueur brillait au centre de la pièce. Surpris, Linant souffla la bougie de la lampe magique. Il expliqua qu'il avait profité de cette réapparition miraculeuse pour se projeter des images de la Bible exhumées des affaires de la baronne.

Voltaire doutait que le moindre article de bondieuserie figurât dans l'inventaire de la succession. Une fois la lanterne rallumée, on constata que l'abbé avait une drôle de conception des images saintes.

— Croyez-vous que ces personnes toutes nues soient le roi David ou Abraham ? demanda Voltaire. Et cette dame bien en chair qui n'a sur elle que des colliers : Bethsabée ? La reine de Saba ? Vous m'indiquerez quel prophète a relaté cette anecdote, cela intéressera le chapelain de la marquise.

Émilie se dit que les hommes étaient décidément fort occupés de leurs sens. Elle aurait volontiers fait une remarque acerbe à ce sujet s'il n'avait été patent qu'elle avait eu elle-même un certain nombre de soupirants. Du moins les avait-elle tous aimés, chacun à son tour, ce qui n'était pas toujours le cas de ces messieurs, capables de se passionner pour des figures en couleurs tracées sur une stupide plaque de verre. Voilà donc ce qu'était la maîtresse idéale de l'humanité mâle : une image plate et artificielle projetée sur un drap blanc, muette, impassible, une ombre de femme aux formes parfaites, dépourvue de caractère.

Troublé, Linant voulut remplacer la scène érotique par d'autres plus innocentes. Il saisit un paquet de plaques, en enfonça plusieurs en même temps dans l'appareil et les coinça toutes. Émilie fronça le sourcil.

— Il faudra que vous m'expliquiez pourquoi vous devez employer un secrétaire qui a deux mains gauches, dit-elle à Voltaire.

— Que vous êtes maladroit, mon pauvre ami ! renchérit ce dernier.

La maladresse a ses coups de génie. Ils avisèrent le tableau que la lumière inscrivait à présent sur l'écran.

Si la première plaque montrait un homme qui prenait le thé, si la deuxième montrait une femme qui prenait le thé, une fois réunies en une même image, ces personnes ne prenaient plus du tout le thé.

— Encore une chose que vous ne devriez pas voir ! dit Voltaire à sa compagne.

Il s'interposa entre le projecteur et le mur, si bien que ce fut sur son habit qu'apparut l'image indécente. On avait l'impression qu'il avait fait couper son pourpoint dans un lot de gravures licencieuses. On voyait une tête de Voltaire sur un corps doté d'une impressionnante virilité.

— Vous voilà bien accommodé ! dit la marquise. Poussez-vous, c'est encore pire !

De toute façon, rien de ce qu'elle avait vu depuis le début de cette affaire n'était fait pour les yeux d'une dame. Elle était sur le point d'avoir son troisième enfant, elle connaissait ce côté de la vie, et peut-être mieux que lui.

Chaque personnage avait été peint séparément, si bien que la scène n'était complète qu'à la condition de projeter les plaques ensemble. Dans un angle, certains éléments du décor se combinaient pour former un blason. Par une fenêtre, on apercevait la cour du Palais-Royal. Enfin, on discernait, tracée sur le sol, une suite de chiffres : 050996.

Alors qu'on s'interrogeait sur l'origine des armoiries, Voltaire se moucha. Émilie remarqua que ce mouchoir était brodé d'un emblème identique.

— Ce sont vos armes ! dit-elle.

L'enrhumé répondit qu'il n'en possédait pas, n'ayant pas la chance d'appartenir à cette élite incontestée que l'on nomme la noblesse, contrairement à ce que laissaient supposer son port de tête altier, l'élégance de sa perruque ébouriffée et le galbe de ses mollets. Le morceau de tissu appartenait à la baronne, et sans doute aussi le blason qui était dessus.

On en déduisit que la dame bien en chair sur la plaque licencieuse représentait la défunte, dans son jeune temps. Elle était coiffée à la Fontanges : un grand amas de cheveux postiches était maintenu sur le haut du crâne, des fils métalliques discrets permettaient d'y accrocher un agencement de dentelles, de rubans, de perles et de tout ce qu'on avait eu l'idée d'y mettre. La mode en était totalement finie depuis plus de quinze ans.

— Comment les dames pouvaient-elles supporter de telles pyramides ! dit Voltaire.

Il en profita pour rectifier devant le miroir sa propre coiffure, dont les rouleaux châtains lui tombaient à mi-poitrine.

Cette scène incongrue, située dans une chambre du Palais-Royal, leur fit supposer que Mme de Fontaine-Martel était détentrice d'un secret qui impliquait les d'Orléans, dont elle avait longtemps fréquenté la cour. Les sujets de scandale ne manquaient pas dans cette famille : du temps de Monsieur, frère de Louis XIV, ils étaient aussi nombreux que les favoris dont s'entourait le prince. Par la suite, son fils, le Régent, avait élevé le scandale au niveau d'un des beaux arts. À tel point qu'on pouvait se demander s'il restait encore quelque chose qui fût ignoré de tout Paris et qui pût gêner ces cousins du roi.

Il était tard. Voltaire demanda à la marquise si elle ne souhaitait pas aller se coucher.

— Pour quoi faire ? Je ne dors jamais.

Il n'y avait pas de meilleur moment qu'une nuit paisible pour réfléchir en paix. Ils firent préparer du feu dans le petit salon et s'y installèrent confortablement pour un petit souper en tête à tête. Le repas chez le duc avait été copieux, ils se contentèrent d'une bonne tranche de pain, d'un peu de fromage et d'un potage de légumes.

Tandis qu'on les servait, la marquise nota du changement dans le vêtement des domestiques.

— Avez-vous remarqué combien tout le monde paraît nanti, dans cette maison, depuis la mort de votre vieille amie ? Le valet fréquente les filles du mauvais ton, la demoiselle de compagnie délaisse la broderie pour les cartes à jouer... Je ne serais pas surprise de voir la cuisinière rouler carrosse ou le laquais investir dans la Compagnie des Indes.

— Il n'y a que moi qui ai tout perdu, se plaignit Voltaire, calé dans les coussins du bel hôtel qu'il continuait d'occuper en attendant le règlement de la succession.

Émilie était d'avis de chercher l'assassin parmi les gens à qui le crime avait profité.

— Bonne idée, approuva l'écrivain en resserrant autour de lui les pans d'une pelisse empruntée à la baronne. Les profiteurs sont des gens méprisables.

Un valet lui servit un verre d'une délicieuse liqueur dont la propriétaire n'avait plus que faire, un autre ajouta une bûche dans la cheminée pour leur éviter de prendre froid.

On sonna. C'était Mlle de Grandchamp qui rentrait. Elle aussi s'était changée : elle était parée comme une rentière. Ils supposèrent que c'était elle qui distribuait ses grâces aux domestiques. Mais avec quel argent, puisqu'elle n'avait pas encore touché un sou ? Sans doute avait-elle mis en gage le crédit que lui apportait le testament : on lui prêtait sur ses espérances. Un bout de papier noirci d'un peu d'encre valait de l'or. Il n'y a pas de plus grande richesse que celle qu'on vous suppose.

Les modifications qui s'étaient produites en Victorine ne se limitaient pas à ses atours. Émilie ne put s'empêcher d'ironiser sur l'émancipation des jeunes filles par l'effet merveilleux des louis d'or ; elle lui conseilla de se trouver une passion, comme elle en avait une elle-même : l'astronomie, les mathématiques, la physique, la chimie ; tout vaudrait mieux que le jeu et les galants.

C'était le mot de trop. Alors seulement ils perçurent le véritable changement. Le regard que leur jeta la jolie rouquine tenait davantage de la princesse outragée que de la lectrice qui vient de recevoir une leçon de vie. Elle leur fit une remarque acide sur *ses* alcools qu'ils étaient en train de siffler et *ses* serviteurs qu'ils faisaient veiller. Elle espéra qu'ils appréciaient le confort qu'elle leur prodiguait et les engagea à chérir la mémoire de la baronne, qui l'avait priée de veiller sur le personnel comme sur les parasites.

Ils en restèrent pantois.

Après les avoir remis à leur place, Victorine convoqua le personnel devant eux et distribua des gratifications « pour avoir soin de M. de Voltaire, à qui elle devait son bonheur ». Elle donna des bagues dont on ignorait la provenance, des manchons de fourrure venus de chez les meilleurs faiseurs et dont elle s'était lassée le jour de leur achat, et des petits présents achetés ici et là au fil de ses promenades. Dans cette maison, la reine de Saba n'était pas que sur les plaques des lanternes magiques. S'il était un art que Victorine maîtrisait à la perfection pour l'avoir subi, c'était celui de manier la carotte et le bâton.

— La petite impertinente ! s'écria Émilie quand la demoiselle se fut retirée. On ne devrait pas hériter avant quarante ans !

Pour la calmer, Voltaire lui rappela que l'insolente était peut-être la meurtrière. Dans ce cas, elle aurait peu de chances de profiter longtemps d'un bien mal acquis. Émilie se promit d'aller la voir décapiter sur l'échafaud pour crime de lèse-marquise.

Un instant plus tard, on sonnait de nouveau à la porte. Mlle de Grandchamp se tenait dans le salon voisin. Ils entendirent une servante annoncer à l'élue des dieux qu'un monsieur voulait absolument la voir. À cette heure tardive, un visiteur insistant ne pouvait être de bon augure. Il y eut un bref silence, durant lequel la jeune femme dut lire la carte qu'on lui présentait. Avant lu, elle refusa tout net de le recevoir.

Sans laisser à la servante le temps de lui fermer la porte au nez, l'intrus traversa le vestibule et se précipita au-devant de la demoiselle. Émilie et Voltaire échangèrent un regard ébahi.

Dès qu'elle se vit envahie, Mlle de Grandchamp claqua la porte de communication. Elle se leurrait sur l'intimité fournie par ces panneaux, que les deux enquêteurs rouvrirent discrètement pour n'en pas perdre une miette. Ils se pressèrent contre l'entrebâillement pour entendre et, si possible, voir.

La riche héritière avait perdu de sa superbe. L'intrusion l'avait désarçonnée. Ils étaient au spectacle.

L'importun était un employé dont la figure disait vaguement quelque chose à la marquise et rien du tout à l'écrivain, qui avait l'esprit vif mais la vue basse. Il devait avoir environ trente ans et se comportait bizarrement, comme un homme mi-séduit, mi-intéressé, qui devait avoir bien des tracas pour se montrer aussi pressant sur les questions financières : il avait, disait-il, des échéances, il était pris à la gorge, c'était, à l'entendre, une question de vie ou de mort.

Émilie croyait l'avoir vu quelque part, il n'y avait pas longtemps de cela, mais ne se rappelait pas où.

— Ce que je peux dire, souffla-t-elle, c'est que ce n'est personne d'important : je ne me rappelle jamais les traits des subordonnés.

Voltaire se félicita qu'elle eût tout de suite mémorisé les siens.

Soudain, alors qu'elle avait écouté sans broncher lamentations et exigences, Victorine explosa de colère. Ils comprirent qu'elle s'était reprise. Elle passa du registre de l'honneur blessé à celui de la séduction insidieuse. Après avoir fait preuve d'un talent certain dans le domaine du marivaudage, elle confia au solliciteur le premier objet qui lui tomba sous la main, un vase chinois que la baronne avait plusieurs fois recommandé à l'attention des serviteurs et qui était peut-être ancien. Elle conseilla à cet homme d'aller le vendre ou de le mettre en dépôt pour en tirer une avance. Enfin, enrobé de promesses et de soupirs, le visiteur se retira, non sans jurer de revenir bientôt. Il était bien évident qu'on le reverrait sous peu et que sa prochaine visite ne ravirait pas davantage l'héritière.

Les indiscrets retournèrent à pas de loup vers leurs fauteuils et firent semblant de n'avoir pas prêté attention à ce qui venait de se produire. Soucieuse de vérifier que ses secrets n'avaient pas été surpris, Mlle de Grandchamp vint leur jeter un coup d'œil soupçonneux. Elle les trouva en grand débat sur le calcul du retour de la comète, comme deux membres de l'Académie des sciences en commission hebdomadaire. Ils attendirent qu'elle fût montée à l'étage pour échanger leurs conclusions, qui n'avaient qu'un rapport lointain avec le mouvement des corps célestes.

La marquise penchait pour des dettes de jeu : l'imprudente avait perdu sur parole, ne pouvait honorer son billet à ordre et se voyait poursuivie par le patron du tripot, par le banquier de la maison ou par un prêteur de mauvais aloi. Cela arrivait aux meilleures gens.

Voltaire eut l'affreuse impression que son amie savait de quoi elle parlait. Il estimait pour sa part que ce monsieur avait bien plus l'allure du vague sous-fifre d'une étude poussiéreuse que d'un demi-escroc ou d'un usurier. Son habit simple et étriqué, sa manière d'être évoquaient le gratte-papier penché sur d'interminables écritures, habitué à s'entendre donner des ordres, qui se tache les doigts à l'encre de sa plume et qui se sent perdu dès que sa responsabilité est engagée. Ce n'était pas le genre d'individu qu'une jeune héritière pleine d'avenir s'empressait de fréquenter.

Il fallait en apprendre davantage. Émilie y tenait beaucoup. Quoique inaccessible à l'idée même de vengeance – elle était bien au-dessus de telles bassesses –, elle désirait savoir dans quelle ornière s'était jetée la péronnelle, afin de lui tendre une main secourable, ainsi que la commisération l'y obligeait. Elle décida qu'on la ferait filer par l'imbécile de service, ce Linant, dont l'utilité sur terre et chez Voltaire échappait jusqu'à présent à toute démonstration scientifique.

L'écrivain constata une fois encore que la plus fine intelligence va toujours de pair avec la plus grande bonté.

CHAPITRE DIX-NEUVIÈME

Certains caractères
réservent de grandes surprises
quand d'autres sont hélas fidèles
à l'image que l'on s'en fait.

Les pensées se bousculaient en Linant, livré au ciel couleur d'iceberg et au souffle sibérien de ce petit matin de février. Il avait accepté de surveiller Mlle de Grandchamp pour réparer la fâcheuse impression causée par sa naïveté de l'autre jour – et par toutes ses actions en général. Il tenait à démontrer qu'il pouvait être utile à bien des choses, en dépit de ce que la marquise lui avait laissé entendre sans ménagement. Pourquoi ennuyer cette adorable petite rouquine qui l'avait gratifié, pas plus tard que la veille, d'une cape neuve matelassée et doublée de satin ?

Pour l'heure, la cape était fort utile pour se préserver du froid tandis qu'il trottait dans le vent glacé, à la poursuite de sa bienfaitrice. Ses doigts gantés serraient la canne de Voltaire, qu'il avait réussi à emprunter malgré les jérémiades de son propriétaire, afin de disposer d'une arme au cas où quelque malappris du genre de celui qui avait estourbi la baronne s'attaquerait à la belle lectrice.

Le décor des façades environnantes se fit de moins en moins huppé. Qu'est-ce qu'une demoiselle comme elle allait donc faire, seule, dans un coin perdu ? Visiter un foyer en détresse ? Le gros abbé imagina les miséreux, le cœur gonflé de gratitude, recevant des secours de la blanche main de cet ange de bonté. Il eut du mal à retenir une larme. Comme pour confirmer ces suppositions, Victorine disparut à l'intérieur d'une maison étroite qui ne payait pas de mine.

Malgré sa grande patience qui lui permit d'attendre sans regimber pendant au moins dix minutes, Linant ne la vit plus reparaître. Si la chère enfant avait pu se douter qu'il était en train de geler sur pied, elle ne l'aurait pas laissé périr sur le trottoir. À moitié transi, il entra à son tour, avec l'idée de se réchauffer dans le vestibule. Quand elle prendrait congé de ses protégés, il l'entendrait toujours assez tôt pour s'esquiver sans qu'elle le voie.

Il y eut un son bizarre, suivi d'autres semblables. On geignait. Linant conçut de l'inquiétude pour la demoiselle. Il s'engagea dans l'escalier, monta d'étage en étage sans cesser de tendre l'oreille. Un reste d'esprit chevaleresque issu de ses lectures le poussait à secourir l'adorable et fragile héroïne. Ce sentiment s'était emparé de ses jambes, elles le forçaient à avancer en dépit de sa prudence, de son instinct de conservation, voire de son intelligence. Tout en haut, la porte d'un logement était ouverte. Il faisait noir, on n'y voyait rien.

— Il y a quelqu'un? demanda-t-il d'une voix peu rassurée.

Un filet de lumière lui indiqua l'emplacement de la fenêtre, obturée par un rideau. Il se dirigea de ce côté et trébucha sur un tabouret malencontreusement abandonné sur son chemin. Le gros abbé, dont la formation de preux chevalier se limitait à ses lectures, tomba en avant sur quelque chose de mou et de chaud. L'affreuse certitude qu'il s'agissait d'un corps humain le gagna. Il poussa un cri, se releva comme il put. Sa main rencontra un objet effilé. Il s'en saisit sans réfléchir, sortit en titubant et se retrouva sur le palier, son vêtement maculé de sang, un couteau à la main. Horrifié, il dévala l'escalier, cramponné à la rampe, en sautant les marches deux à deux. Tout juste aperçut-il le visage d'une petite vieille qui avait entrouvert sa porte et dont le regard bleu délavé croisa le sien.

C'est tout sanglant et hébété qu'il reparut à l'hôtel de Fontaine-Martel, rue des Bons-Enfants. La cuisinière, devant les taches rouges sur son col et sur ses manches, lui conseilla d'enfiler un tablier, la prochaine fois qu'il écorcherait un lapin.

Ce ne fut pas une explication culinaire qui vint à l'esprit des deux enquêteurs quand ils virent le gros abbé surgir dans le cabinet de curiosités. Comme il n'arrivait pas à enchaîner deux mots intelligibles et qu'il était pratiquement bleu de froid et de terreur, on lui fit ingurgiter un fond de bouteille de la baronne. Avec le temps, on s'était aperçu qu'elle conservait des flacons dans à peu près toutes les pièces. Ils mirent la main sur un ratafia bien vieux, d'origine bien lointaine, qui arracha à Linant un cri plus sonore que celui qu'il avait poussé en s'effondrant sur le corps de la malheureuse.

Il annonça que la chère, douce et infortunée demoiselle de Grandchamp était morte à l'heure qu'il était et battit sa coulpe, non seulement pour n'avoir pas su lui éviter ce triste sort, mais pour l'avoir abandonnée dans son agonie au lieu de la secourir. C'était son sang qu'il avait sur lui. Il en pleurait. Pauvre Victorine ! Quelle fin funeste pour une si aimable personne ! Le monde était un marigot.

Ils entendirent la cuisinière saluer quelqu'un au rez-de-chaussée. Penchés par-dessus la rambarde, ils aperçurent le chapeau et le manteau verts que s'était offerts l'assassinée deux jours plus tôt. Ayant ôté ces deux vêtements, le spectre remit de l'ordre dans sa crinière flamboyante, fouina dans ses paquets et tendit un petit cadeau à celle qui lui avait ouvert. Loin d'éprouver de l'horreur, l'intéressée remercia le cadavre ambulant, et le vestibule redevint aussi sombre et silencieux qu'un tombeau.

Les deux enquêteurs se tournèrent vers Linant, qui écarquillait les yeux, convaincu d'avoir contemplé une scène irréelle.

La jeune femme et la cuisinière traversèrent à nouveau le hall d'entrée en direction de la cuisine. Victorine voulut savoir qui était là. Comme on lui répondait que Voltaire et Mme du Châtelet travaillaient en haut, elle demanda si l'on avait vu le bon abbé. On lui apprit qu'il venait tout juste de rentrer de la chasse ou de la halle; en tout cas, il avait dépecé une bête, il y aurait sûrement du gibier au souper.

— Sûrement..., répéta Mlle de Grandchamp d'une voix rêveuse.

Voltaire et Émilie furent d'avis qu'il y avait bien eu un lapin d'attrapé : ils l'avaient devant eux, vêtu en abbé.

— Elle vous a eu, dit la marquise avec un hochement de tête désabusé.

Le plus ennuyeux était qu'il s'était trouvé taché de sang, le couteau à la main, dans la maison du crime, et que, bien sûr, il s'y était fait remarquer.

— Juste par une vieille dame, précisa-t-il en se frottant les mains dans un torchon avec la frénésie obsessionnelle de lady Macbeth. Avec de la chance, elle sera myope.

Voltaire examina son secrétaire de la tête aux pieds.

— Et ma canne? Où est-elle, ma canne?

La figure ahurie du gros abbé ne constitua pas une réponse satisfaisante. La marquise dut s'interposer pour empêcher le philosophe d'étrangler Linant, qui affrontait un danger plus immédiat que celui dont il s'était cru menacé chez le cadavre. Quand il put à nouveau placer un mot, il se confondit en excuses pour avoir égaré la propriété du maître et s'offrit à la lui remplacer à ses frais, ce qui mit l'écrivain dans une colère encore plus noire. Des adjectifs désobligeants fusèrent. Étant donné la liste impressionnante d'injures pleines d'invention dont disposait Voltaire, il aurait été intéressant de l'élire à l'Académie rien que pour enrichir le Dictionnaire – une fois mis à part, bien sûr, les noms propres de ses ennemis, dont il usait sans retenue pour exprimer les sentiments que ceux-ci lui inspiraient. Linant s'entendit traiter de Piron, de Rousseau[1], termes incompréhensibles à qui n'était pas diplômé en voltairologie.

Émilie en appela à toute la philosophie de leur ami. Au prix d'un immense effort sur lui-même, il déclara qu'il pardonnait à la bêtise et à l'inconséquence, qui, après tout, n'étaient rien au regard de la méchanceté et des mauvais penchants. Il décida de pousser la mansuétude jusqu'à vouloir aller lui-même récupérer sa canne, afin d'éviter à l'imbécile de finir ses jours en prison – quoique il eût été juste de dire que cette canne était à lui, que tout le monde l'avait vue entre ses mains

1. Non pas Jean-Jacques Rousseau, mais Jean-Baptiste Rousseau (1670-1741), dramaturge français, qui appelait Voltaire « ce petit coquin d'Arouet ».

et qu'ils risquaient d'être deux à se partager le cachot.

Linant fut donc prié de les conduire sur les lieux. Une fois devant la maison du crime, ils laissèrent le patineur des mares de sang faire le guet sur le trottoir d'en face et montèrent bravement examiner la chose.

La vieille voisine du dessous, si elle avait soupçonné quelque chose dans ce curieux remue-ménage, n'avait pas alerté la police. Nul doute que l'alerte finirait par être donnée, notamment à cause de cette porte ouverte à tout vent. La brave dame se souviendrait alors du furieux qui s'était enfui avec des traces rouges sur son col blanc et Linant aurait du souci à se faire.

Pas Voltaire, qui ramassa sa canne sur le parquet, non loin de la masse sombre étendue conformément au récit du secrétaire. La poignée argentée luisait faiblement dans la clarté venue de la porte. Ils firent un écart pour atteindre la fenêtre et ouvrirent les rideaux. Il y avait en effet un corps inanimé au milieu de ce petit logement défraîchi, et tout laissait croire qu'il ne se relèverait pas.

— C'est bien triste, dit Émilie. Au moins, c'est une personne que nous ne connaissions pas.

Voltaire n'en était pas si sûr. Il regardait avec stupeur un vase chinois dont l'élégance tranchait sur la modestie de la décoration. C'était celui de la baronne, qu'il avait vu trôner dans le petit salon bleu et que Victorine avait confié à son visiteur.

Voltaire s'aida de sa canne pour retourner non sans dégoût le corps étendu sur le sol. Ils reconnurent l'importun de la veille au soir, ce petit employé mécontent.

Le pensionnaire de la baronne s'empressa de récupérer le vase. Cet objet était trop particulier, trop facile à identifier et jurait trop avec le reste du mobilier pour ne pas attirer l'attention d'un policier un peu sagace, qu'il conduirait tout droit à l'hôtel de Fontaine-Martel, ce nid douillet autour duquel pleuraient les cadavres.

Le gratte-papier avait bien été poignardé. Voltaire tira de sa poche le couteau malencontreusement emporté par Linant et le déposa par terre. Il convenait de laisser les choses dans l'état où les hommes de M. Hérault désireraient les trouver, en tout cas dans un ordre qui ne risquait pas de lui causer des ennuis.

Pendant que l'écrivain préparait le lieu du crime pour les exempts de police, Émilie procéda à une fouille rapide. Quelques tampons et documents lui apprirent qu'ils étaient chez un clerc de notaire. Voilà qui ouvrait des perspectives. Notaire et testament sont deux choses qui s'accordent naturellement. Or la charmante Victorine venait précisément d'hériter grâce à un legs providentiel.

Que penser de tout cela ? La perspective de voir surgir la force publique à un moment où ils auraient du mal à s'expliquer ne facilitait pas la cogitation. Dans une position inconfortable, on réfléchit de travers. Qu'en aurait-il été de la philosophie sans l'invention des coussins, des cheminées bien garnies, et sans la paix d'une conscience en repos? Les ébénistes, les livreurs de bois et les pourvoyeurs de rentes avaient fait davantage pour le progrès humain qu'on ne croyait.

Émilie était de méchante humeur. Une voix intérieure lui criait qu'elle s'était fait manipuler par une gamine. C'était elle qui avait retrouvé la trace du fameux papier grâce auquel Victorine comptait chausser les pantoufles de la baronne. Elle se chargea immédiatement d'une nouvelle mission : prouver que le testament qui instituait la jeune femme légataire universelle était un faux. Cela n'allait pas être du gâteau : ils s'y connaissaient beaucoup moins bien en écritures que le faussaire déjà tiède qui gisait à leurs pieds.

Avant de s'en aller, ils claquèrent la porte derrière eux pour retarder la découverte du meurtre. Eux aussi aperçurent, sur le palier du dessous, un museau de vieille dame et deux yeux bleus dans l'entrebâillement du battant retenu par une chaîne. La marquise se tourna vers son complice.

— Mon cher René Hérault, dépêchons-nous de filer! dit-elle très haut.

Ils poursuivirent leur chemin sans s'attarder.

— C'est un petit cadeau pour notre bon lieutenant général, souffla-t-elle à Voltaire, quelques marches plus bas.

Ils jetèrent un coup d'œil dans la rue avant de s'y risquer. Les signes que leur adressait Linant, la figure aux abois, pour leur indiquer que la voie était libre, avaient de quoi inquiéter tous les bourgeois du quartier. Ils s'éloignèrent à grands pas, sans se retourner, en se demandant s'ils ne feraient pas mieux de livrer l'imbécile à la justice pour s'en délivrer.

CHAPITRE VINGTIÈME

Où l'on voit une simple explication de texte renverser des fortunes.

Le trio d'enquêteurs rejoignit la rue des Bons-Enfants, où les attendait désormais une pénible cohabitation avec une meurtrière.

— Je savais bien que cette coquine faisait preuve d'un comportement douteux, dit la marquise.

— Vous voulez dire : parce qu'elle joue à des jeux d'argent et qu'elle a des amants ? supposa l'abbé Linant.

— Oui, pour cela aussi, répondit Émilie, qui se serait bien passée de pareille remarque.

Voltaire restait pensif. Il y avait fort à parier que la baronne n'était pas à l'origine de la manne qui allait pleuvoir sur sa dame de compagnie. Voilà qui cadrait mieux avec la personnalité de la vieille dame, dont le côté « après moi le déluge » était tout de même très prononcé.

Alors qu'il s'apprêtait à déposer parmi le fatras du cabinet de curiosités le vase chinois rapporté de chez le mort, Voltaire remarqua qu'on avait coincé un papier à l'intérieur.

Il s'agissait d'une lettre de la baronne ni datée ni signée. Sans doute était-ce un brouillon qu'elle avait recopié, ou bien avait-elle changé d'avis, ou encore, supposition atroce, l'avait-on poignardée avant qu'elle ne l'eût donnée à la poste. Il était possible aussi, vu le mal que la baronne y disait de sa lectrice, que cette dernière, l'ayant décachetée et lue, se fut abstenue de la porter au bureau de poste. Après tout, des soupçons bien plus graves pesaient sur elle. Restait à savoir comment la lettre avait abouti dans ce drôle d'endroit.

Voltaire ne vit rien de particulier dans le message ; la chère disparue y épanchait son fiel habituel. Émilie, en revanche, fut frappée par une similitude d'expressions avec le testament découvert dans le chat en bois creux, un document qui était à présent chez Me Momet. Elle entrevit l'entourloupe.

Étant les auteurs de la découverte qui allait permettre de régler la succession, ils furent conviés chez le notaire. Voltaire adorait la place des Victoires, l'une des plus belles de Paris, dont même les irrégularités étaient plaisantes à l'œil : moins prétentieuse que la place Vendôme, plus moderne que la place Royale[1], moins fantomatique que celle qu'on bâtirait peut-être un jour à

1. Place des Vosges.

l'emplacement de la Bastille, quand on se déciderait enfin à raser cet affreux château fort qui gâtait le paysage et désespérait les gens de plume.

Il y avait là la Grandchamp, la d'Estaing, la de Clère et sa mère, rien que du beau monde. Me Momet venait d'authentifier le testament retrouvé par Mme du Châtelet. Il en donna lecture, puis demanda si quelqu'un souhaitait le contester, ce qui signifiait de porter l'affaire en justice. Curieusement, Mme d'Estaing ne broncha pas, elle paraissait résignée à se voir dépouiller.

Rayonnante, Victorine distribuait les sourires modestes et les mots aimables avec la condescendance d'une châtelaine en visite chez ses paysans. Bien qu'elle parût horripilée, Mme d'Estaing n'explosa pas. Voltaire en vint à se demander si elle n'avait pas craint quelque chose de pire. Mais qu'y avait-il de pire que de se voir entièrement déshéritée ?

Émilie demanda à revoir le document. Elle échangea avec Voltaire un regard entendu.

— C'est bien ce qu'il nous semblait, dit-elle.

— Et que vous semblait-il ? s'enquit le notaire par-dessus ses lorgnons.

On les pressa d'en dire davantage. Ces sous-entendus étaient irritants et tout le monde avait mieux à faire.

Voltaire tira de son portefeuille le brouillon découvert dans le vase. Le sourire de Mlle de Grandchamp se raidit. Me Momet demanda d'où ils tenaient ce nouveau papier.

— Oh, nous avons aidé à faire un peu de ménage chez Mme de Fontaine-Martel, dit Voltaire. C'est là que j'habite, vous savez.

« Pas pour longtemps », sembla penser l'héritière. Il y avait du congé dans ces yeux-là.

Émilie demanda de quoi écrire et prit quelques instants pour recopier des mots piochés ici et là. La plupart de ceux contenus dans la lettre de la baronne figuraient dans le prétendu testament. Elle déclara que celui-ci était controuvé.

Les héritières s'exclamèrent. Le notaire protesta : il venait de le déclarer authentique ! Émilie précisa sa pensée : c'était un faux, et le problème du faussaire, c'était qu'il manquait d'imagination.

— Voici les grandes lignes du testament en faveur de mademoiselle, découvert par moi-même dans la statuette de chat : « *Conformément à ma promesse de pourvoir à l'établissement de celle qui fut l'unique rayon de soleil de mes vieux jours, celle qui soulagea les mille petits maux d'une femme d'âge et que je n'ai jamais regretté d'avoir attachée à ma personne, je lègue à ma chère Victorine Picon de Grandchamp, pour la remercier de ses bons et fidèles services [...]. Je remets à ma bonne Victorine de Grandchamp la charge de récompenser à sa convenance ceux qui m'ont entourée de leurs soins et de leur affection jusqu'à mes derniers instants. Libre à elle de répartir telle part de mes biens qu'elle estimera juste entre mes amis les plus proches, pour les faire souvenir de moi quand je n'y serai plus.* »

Ayant terminé sa lecture, elle rendit le document au notaire et prit la lettre cachée dans le vase.

— Vous remarquerez la similitude des expressions et la différence du sens, annonça-t-elle : « *Victorine de Grandchamp* m'a arraché la *promesse de pourvoir* à son *établissement pour la remercier de ses bons et fidèles services*. Son insistance à se croire *l'unique rayon de soleil de mes vieux jours* et à prétendre *soulager les mille petits maux d'une femme d'âge* me fera *regretter* de me l'être *attachée. Personne* ne m'imposera, pas même *à mes derniers instants, la charge de récompenser ceux qui* ne *m'ont entourée* ni *de leurs soins* ni *de leur affection*. Autant disperser *mes biens entre mes amis les plus proches pour les faire souvenir de moi quand je n'y serai plus. Libre à elle de repartir* chez les *Picon* quand elle l'*estimera juste*, ou de faire la *bonne, conformément à sa convenance.* »

L'étude notariale devint aussi caquetante qu'un poulailler.

— Les deux textes contiennent les mêmes mots, expliqua Émilie, mais dans un ordre différent. En mettant ensemble ce qui ne figure pas dans la lettre, on obtient ce que contenait vraisemblablement le véritable testament de la défunte : « *Je lègue l'ensemble de mes biens, terres, domaines, propriétés, rentes et fermages, ma maison de Paris avec son mobilier, enfin tout ce qui se trouvera m'appartenir au jour de mon décès, à ma chère (unetelle). Dans ce but, je déshérite par la présente tout parent, enfant, collatéral, ascendant ou descendant qui prétendrait contester mes dernières volontés. Le présent testament annule et remplace toutes mes dispositions antérieures. Fait en mon hôtel près le Palais-Royal, ce 10 janvier de l'année 1733, et signé par moi Antoinette-Madeleine Desbordeaux, veuve de Fontaine-Martel.* »

Mlle de Grandchamp se sentit mal, ce qui est toujours très à propos quand il se produit une catastrophe humiliante. Les clercs accoururent avec de l'eau et des sels – il importait d'en tenir toujours de prêts, dans une étude où les mauvaises nouvelles étaient aussi fréquentes que les bonnes. Le notaire avait les yeux rivés sur les deux papiers, qu'il ne cessait de relire l'un après l'autre.

Force lui fut d'admettre qu'il existait, ou qu'il avait existé une pièce authentique, dont le contenu avait été mélangé à la lettre de la baronne pour donner le beau résultat par lequel une jeune fille qui ne lui était rien héritait tout son bien.

Quand il cessa de lire et qu'il tourna son regard vers les femmes assises en face de lui, Émilie sut que l'héritage de Victorine venait de s'envoler en fumée. Bien qu'il refusât encore de reconnaître qu'il s'était laissé berner par de fausses écritures, Me Momet ne pouvait plus envisager de clore la succession dans l'état où elle se trouvait. Ce qui l'agaçait le plus, c'était que ce faux et la disparition de l'exemplaire conservé dans son coffre feraient peser les soupçons sur son étude. Quelqu'un avait trahi, quelqu'un avait rompu le serment des notaires, à côté duquel celui d'Hippocrate n'était qu'une comptine pour enfants.

Il demanda où était son clerc Martin. Il ne s'était pas présenté de la journée. Me Momet envoya quelqu'un chez lui, il avait des éclaircissements à lui demander. Voltaire se dit que le cadavre n'allait pas croupir longtemps sur son parquet.

On parvint enfin à ranimer la jeune femme – ou bien celle-ci jugea-t-elle que sa démonstration de faiblesse et d'innocence avait assez duré.

— Où suis-je ? Que s'est-il passé ?

Son regard tomba sur la marquise et sur Voltaire, qui lui souriaient benoîtement.

— Ah ! Les méchantes gens ! s'écria Victorine, à qui la mémoire était revenue d'un coup.

Elle eut beau se poser en victime d'une conjuration, l'opinion à son sujet avait changé pendant son évanouissement. Bien qu'elle fût la bénéficiaire du faux, il n'existait pas encore de preuve irréfutable qui permît de l'incriminer. Me Momet lui annonça « avec regret » que ces informations l'obligeaient à suspendre à nouveau la succession. Une plainte de Mme d'Estaing pour détournement d'héritage était désormais recevable.

— Vous aurez la bonté de rester à Paris. Messieurs de la lieutenance auront des questions à vous poser, lui indiqua le notaire, dont le ton laissait entendre qu'il ne s'en posait plus guère.

Certes Mme d'Estaing jubilait en silence, assise avec raideur sur sa chaise. Mais Voltaire eut l'impression que c'était davantage de voir la petite voleuse prise au piège que d'avoir recouvré ses prétentions sur la fortune maternelle.

— Vous trouvez peut-être à présent de l'intérêt à la philosophie, chère madame, lui dit-il avec une amabilité qui avait des accents de triomphe.

Elle en trouvait, en tout cas, aux esprits tordus et inquisiteurs.

— Je me suis laissé dire que vous vous y connaissiez en faux et en publications anonymes, répondit la comtesse, que la gratitude n'étouffait pas.

Tout à fait revenue de son étourdissement, Mlle de Grandchamp ordonna au parasite philosophique de quitter sur-le-champ son hôtel particulier.

— Pas si vite ! dit Mme d'Estaing, la main levée.

Avec un malin plaisir, elle signifia à sa concurrente que cette dernière n'avait plus son mot à dire et qu'elle entendait maintenir dans la maison, en attendant d'en avoir le cœur net, tous les parasites qu'il lui plairait.

Seule Mlle de Clère était demeurée muette, perdue dans ses pensées. Peut-être rêvait-elle d'envoyer ici et là des confitures pour accélérer le règlement de ces questions.

La personne qui serait accusée d'avoir contrefait le testament pouvait l'être aussi d'avoir expédié la baronne dans un monde meilleur. Chacun sentit l'ombre de la hache s'étendre à travers l'étude en direction de Victorine.

Alors qu'ils quittaient le cabinet du notaire, Voltaire s'autorisa enfin à formuler les reproches qui l'étouffaient depuis une demi-heure :

— Pourquoi avoir expédié l'explication de texte ? Je croyais que vous nous présenteriez une analyse complète, détaillée, sans concession !

— Vous ne savez pas ce que c'est que d'attendre un enfant, répondit Émilie.

Elle avisa un clerc, lui demanda où était le petit coin et disparut de ce côté.

Tandis qu'il patientait, Voltaire vit Mlle de Clère et sa mère s'engouffrer dans l'escalier sans saluer quiconque. Elles étaient dans la position intermédiaire de n'être ni héritières ni perdues de réputation, leur situation était inconfortable.

L'écrivain alla faire les cent pas sur la place des Victoires, devant la statue en pied de Louis XIV, qu'il jugea d'un style assez chargé, avec son ange couronnant le monarque de lauriers.

Au sortir de l'étude, Mlle de Grandchamp tomba sur sa tante, la vicomtesse, qui arrivait après la fête. La bouche en cœur, Mme d'Andrezel annonça à sa nièce que la nouvelle de son bonheur s'était répandue dans tout Paris. Déjà, les premières demandes en mariage affluaient et elles étaient tout à fait flatteuses. Il y avait là des fils de ducs, des noms prestigieux et des conseillers d'État pleins d'avenir que quarante mille livres de rente rendaient éperdus d'amour.

— Alors ? À combien se monte votre bonheur ? s'informa la vicomtesse. À quel parti pouvons-nous prétendre ?

Mme d'Estaing, qui sortait à ce moment, répondit à la place de la jeune femme :

— Vous pouvez prétendre à de gros ennuis, à une nuit de noces dans un cachot, et à une belle cérémonie avec un prêtre sur l'échafaud. Mais votre chère nièce vous exposera elle-même ces brillantes perspectives.

Si les yeux des rouquines avaient lancé des poignards, la comtesse aurait été plus percée qu'une pelote d'épingles.

CHAPITRE VINGT-ET-UNIÈME

Où notre héros expérimente l'effet
de la philosophie
sur l'intelligence des policiers.

Mlle de Grandchamp était furieuse, ce qui ne rendait pas son voisinage plus agréable. Sa tante avait été effrayée par le résumé, même atténué, de la séance chez le notaire. On ne savait si elles se parleraient à nouveau. La vicomtesse cherchait sans doute déjà dans quel obscur couvent les Picon allaient devoir enfermer la délinquante pour étouffer le scandale avant qu'il n'éclabousse le reste de la famille. Ils avaient le bras assez long pour solliciter une faveur royale, les lettres de cachet ne servaient pas à autre chose.

En attendant de savoir à quelle sauce on allait la manger, Victorine claquait les portes et hantait la maison sans adresser la parole à ceux qu'elle croisait. Le temps des gentillesses et des petits cadeaux était révolu. Sans connaître les détails des derniers retournements, les domestiques sentaient bien que leurs legs avaient du plomb dans l'aile, et leur humeur s'en ressentait.

Voltaire prit la résolution de se barricader avant d'aller se coucher. Celle qui avait commandité la fabrication d'un faux, et peut-être estourbi son auteur, pouvait bien aussi avoir expédié la baronne. Il n'aurait pas fallu qu'un poignard vînt se planter dans la poitrine du philosophe pendant qu'il reposait ses esprits fatigués par d'intenses efforts intellectuels.

Il s'attendait par ailleurs à voir le lieutenant Hérault exiger qu'on lui livre le meurtrier du clerc. Linant comprit qu'il était en première ligne. Il se jeta aux pieds de son protecteur, dont la puissance de réflexion accomplissait des miracles.

— Sauvez-moi ! Ayez pitié !

Après tout, c'était sur ses ordres qu'il s'était trouvé au mauvais endroit au mauvais moment.

Les enquêteurs en dentelles avaient une autre perception des faits. On l'avait certes prié de suivre la demoiselle, mais non de se conduire en abruti capable de poser le pied dans toutes les chausse-trappes, si grossières soient-elles. C'était l'occasion de rappeler un grand principe :

— Vous aurez au moins appris une leçon, dit Voltaire : méfions-nous toujours des faux-semblants.

La leçon qu'en tirait l'abbé, c'était plutôt de se méfier des philosophes.

Cela dit, on accepta d'autant plus volontiers de le tirer de cette ornière que son arrestation les aurait compromis, eux aussi. Le bouc émissaire habitait avec Voltaire, prenait en notes les textes de Voltaire, il suffirait à l'aimable Hérault de hausser le ton pour entendre ce gros garçon incriminer l'écrivain autant qu'on le voudrait.

Celui-ci poussa un profond soupir. L'omniprésente bêtise était décidément le pire ennemi des hommes de lettres. Coincé entre les idiots et les gens malintentionnés, il restait peu de place pour brandir le flambeau de la Vérité.

Linant était persuadé de n'avoir plus de paix tant que Victorine serait en liberté. Ses sentiments envers sa « bonne et chère demoiselle » avaient beaucoup changé. Il suggéra de dénoncer au plus vite celle qu'il appelait désormais « la vipère rouge ».

Le mot même de dénonciation faisait frémir Voltaire. Il ne se passait pas une saison sans qu'il en fût lui-même victime – toujours des dénonciations abusives, puisqu'il s'agissait chaque fois de regrettables malentendus. Il se voyait mal dénoncer à son tour et s'engager dans une procédure qu'on aurait tôt fait de retourner contre lui. Que pèseraient ses raisonnements, dans une salle d'audience, face aux beaux yeux noyés de larmes de la douce et noble Victorine soutenue par tous les Picon de la terre ? Jansénistes pour la plupart, les juges étaient plus sensibles aux charmes féminins qu'à ceux des philosophes maigrichons et mal pensants.

Il n'avait pas non plus envie d'attirer de nouveau Hérault entre ces murs, le lieutenant y venait déjà trop souvent sans qu'on l'y appelle. Quant à l'éventualité d'une dénonciation anonyme, l'idée était odieuse.

On décida de ne pas s'occuper de la Grandchamp tant qu'on n'y serait pas contraints par les événements, et on envoya Linant noyer son chagrin dans les brioches dont le fumet s'échappait des cuisines.

Au moment où l'abbé allait quitter la pièce, une mélopée les figea tous trois. Leur immobilité se changea en mouvements désordonnés vers les dossiers des fauteuils et sous les tables. Chacun s'attendait à voir surgir un assassin, poignard à la main, venu égorger l'un d'eux, voire tous ensemble. Voltaire se lamentait intérieurement : mourir au son d'une chanson populaire, quelle ironie !

C'est alors que l'incongruité le frappa. C'était un air cohérent, et même connu, qui montait de la rue. Quelqu'un était en train d'interpréter une chansonnette sur un pipeau. Seule la musique sans queue ni tête était dangereuse. Il n'y avait pas de message dans *Trempe ton cul dans la sauce*, sinon que celui qui la jouait sous leurs fenêtres ne craignait pas d'afficher sa grivoiserie.

Ils quittèrent leurs abris de fortune et se laissèrent tomber sur le sofa. On ne pouvait bondir ainsi à la moindre note, il convenait de mettre un terme à cette situation invivable. Il était injurieux pour leurs intelligences conjuguées qu'un monte-en-l'air sournois s'obstinât à leur échapper.

Alors que Voltaire s'apprêtait à décréter une séance de réflexion générale, Émilie se dirigea vers la sortie d'un pas pesant.

— Où allez-vous, chère amie ?

— Je ne sais pas… Me reposer… Accoucher, peut-être…

— Faites-moi prévenir si je peux compter sur vous pour mes prochaines démarches ou s'il faut vous adresser des fleurs, lui recommanda l'écrivain.

Sur le perron, la marquise croisa le lieutenant général de police, toujours aussi bien disposé qu'un élève en physique qui n'a rien compris au théorème d'Archimède. Hérault jeta un regard sombre à cette grande femme enceinte, ôta son chapeau et s'effaça pour la laisser descendre les marches. Elle répondit de la tête à son salut et lui adressa un sourire qui tenait surtout à ce qu'elle imaginait de la séance à venir avec Voltaire.

Il n'avait pas fallu longtemps aux employés de l'étude Momet pour découvrir le cadavre de leur collègue, ni au lieutenant général pour surgir rue des Bons-Enfants, le reproche aux lèvres. L'unique et vague témoin du crime, la vieille dame de l'étage au-dessous, avait déclaré que les meurtriers étaient probablement une dame grosse d'enfant et un petit monsieur gesticulant qui répondait à l'affreux nom de René Hérault.

— Qu'en concluez-vous, Arouet ? demanda le chef de la police sur un ton tranchant comme le fil d'une hache sur la place de Grève.

— Que vous n'avez plus qu'à vous arrêter vous-même ? suggéra l'écrivain, sans cesser de tendre les mains en direction du feu qu'il avait fait ranimer.

Il y eut un bruit d'explosion qui ne devait rien aux bûches. Le visiteur était tout rouge.

— Je vous avais chargé d'élucider un meurtre, pas de les multiplier ! Cette fois, c'en est trop ! Allez ! Au dépôt !

— Ah, non ! glapit Voltaire. Pas le dépôt !

Le dépôt était une cave de la Conciergerie où l'on enfermait tout ce qu'on ramassait à travers Paris en attendant de savoir qu'en faire. L'endroit était humide, sale, puant et, surtout, terriblement mal fréquenté. Tout le contraire de la forteresse royale, où le gouverneur, un homme raffiné, était aux petits soins avec les célébrités : on y était correctement logé, on dînait à la table du maître des lieux, dont le cuisinier était excellent, et tous les luxes étaient autorisés, pourvu qu'on pût se les payer. Le séjour à la Bastille était une incommodité, non un supplice. Il y avait un monde entre l'hospitalité du roi en ses forts et châteaux et le trou à rat dont on osait le menacer.

Hérault avait fait de grands efforts pour cacher le meurtre de la baronne. À l'égard d'un sous-notaire, il ne comptait pas se donner tant de mal. Mais cela ne signifiait pas qu'il entendait laisser courir son assassin. D'autant qu'il s'agissait probablement d'une seule et même personne, quelqu'un qui se plaisait à jouer du couteau dans les intérieurs parisiens où fréquentait Voltaire.

Heureusement, l'écrivain put annoncer qu'il avait avancé dans son enquête. Il tenait de quoi satisfaire les appétits de caïman de son interlocuteur : il avait une idée sur l'identité de celui – ou plutôt de celle – qui s'était permis de trucider une baronne et un clerc.

— Voyez-vous, votre M. Martin travaillait chez Me Momet. Quand ce dernier a ouvert son armoire pour y prendre la copie du testament de Mme de Fontaine-Martel, le document avait disparu. Je crois que nous savons à présent qui l'a escamoté : le même homme qui possédait la pratique requise pour en rédiger un faux en faveur de sa complice.

Il estima avoir démontré, de causes indiscutables en conséquences naturelles, que c'était la bénéficiaire, et non lui, qu'il fallait arrêter.

Ni ces causes ni leurs conséquences ne faisaient les affaires de Hérault. Ce n'était pas un faussaire, qu'il réclamait, mais un assassin.

Le philosophe poussa un soupir. Puisqu'il lui fallait accomplir le travail de la police, en plus de sauver l'humanité, il se résigna à proposer un plan qui lui était venu tandis qu'il réchauffait ses abattis malmenés par sa dernière frayeur. Il s'agissait de tendre un piège à son persécuteur. On répandrait le bruit que le brillant penseur, grâce aux étonnantes facultés de raisonnement bien connues de ses lecteurs, avait deviné qui avait tué Martin et « d'autres personnes », sans préciser lesquelles.

— Cette révélation l'attirera à moi comme un pot de miel une mouche. Je ferai le pot de miel.

Le projet de faire assassiner Voltaire avait tout pour séduire Hérault. La presse officielle était aux ordres. Le meurtre du clerc serait relaté dans la *Gazette de France* du lendemain, on y ferait allusion au plumitif qui, expliquerait-on, avait été en relation avec la victime et lui avait rendu visite le jour de sa mort.

— Je n'invente rien, n'est-ce pas ? conclut le lieutenant de police en guettant sa proie sous ses gros sourcils noirs.

Voltaire pria son tortionnaire de prendre un siège et de lui expliquer quel plaisir il prenait à le tourmenter. Le poids d'un demi-million de destinées parisiennes semblait peser sur les épaules du lieutenant général.

— Je ne peux pas m'occuper de tous les meurtres qui se commettent à Paris, expliqua Hérault, j'ai déjà fort à faire avec les crimes commis par l'administration. Ce matin, par exemple, on m'a refusé trois sous pour installer des planches et un parapet qui suffiraient à sauver des vies humaines. Les abords de la Seine sont gelés, les porteurs d'eau lancent leurs seaux dans les trous de la glace, ils tombent dedans, nous en perdons chaque jour. Je dois choisir entre améliorer la vie du plus grand nombre et arrêter l'assassin de deux ou trois nobles. C'est inextricable. Je ne parviens même pas à imposer la numérotation des immeubles ! Les propriétaires des hôtels particuliers estiment qu'on défigure leur porche ; quant aux nobles, ils refusent de suivre la même règle que les roturiers. La question est remontée jusqu'au roi, on me fait des misères, je n'en sortirai pas. Et pendant ce temps, je dois lutter contre les jansénistes, contre les jésuites, contre les francs-maçons et contre vous !

Voltaire le plaignit fort d'avoir à lutter contre lui.

— Pourquoi ne rentrez-vous pas chez vous profiter de la douceur du foyer ? suggéra-t-il.

René Hérault soupira.

— Pour embrasser ma femme trop jeune qui me trompe avec un marquis ? Ou pour regarder grandir mon fils qui n'est pas de moi ? J'aime mieux m'occuper de nettoyer la ville, c'est plus facile que de mettre en ordre ma vie privée. Je vous ai prié de m'aider, Arouet, parce que je vous estime.

Le compliment flatta modérément l'intéressé. Si le lieutenant traitait ainsi ceux qu'il estimait, qu'arrivait-il à ceux qu'il méprisait ? Voltaire avait raison de se méfier, le coup de cravache suivit de près la caresse.

— En fin de compte, reprit Hérault, je vous rends service : je vous oblige à vous intéresser aux autres.

— Croyez-vous que j'ignore combien souffre le genre humain ? s'offusqua le philosophe. Quand je me consacrerai à la défense des malheureux, j'en perdrai le peu de sommeil qui me reste. Je suis bien forcé de me protéger dans l'attente du jour où j'aurai la force d'affronter cela. Je n'ai pas encore trouvé ma grande cause et c'est par votre faute : vous m'envahissez avec vos histoires de meurtriers, alors que je suis taillé pour défendre la veuve et l'orphelin !

— Commencez par trouver qui a tué la grand-mère, répondit Hérault. Vous êtes bien heureux de ne pas avoir trouvé votre grande cause. Cette ville est tellement pleine de crimes et d'iniquités qu'elle éclatera un jour comme un fruit trop mûr.

Avant de franchir la porte, il se retourna une dernière fois.

— C'est l'assassin ou vous : l'un des deux finira au cachot. Ne vous plaignez pas : de nous deux, vous êtes celui qui a le plus à gagner dans cette affaire.

L'heureux bénéficiaire se serait volontiers passé du cadeau.

CHAPITRE VINGT-DEUXIÈME

*Où l'on apprend avec surprise
que les philosophes ne savent pas voler.*

Deux jours s'écoulèrent dans l'attente de nouveaux événements, ce qui permit à Voltaire de se consacrer à ses travaux les plus urgents : réviser ses *Lettres philosophiques* de manière à faire prendre aux censeurs des vessies pour des lanternes. Au matin du troisième jour, on gratta à la porte de la chambre où dormait l'écrivain, qui la fermait désormais à clé, poussait une commode devant et posait un bougeoir en équilibre pour être sûr de se réveiller en cas d'attaque. Il dut donc se lever pour aller ouvrir, ce qu'il fit après s'être assuré que la personne qui frappait était bien la cuisinière, seule habilitée à lui porter sa collation. Ayant déplacé le bougeoir, repoussé la commode et donné deux tours de clé dans la serrure, il courut se rasseoir sous les couvertures pour réchauffer ses pieds déjà glacés. La cuisinière déposa son plateau sur la commode voyageuse et ôta le volet d'une des fenêtres pour donner de la lumière. Voltaire vit que le soleil avait remplacé les nuages et que la neige avait fondu. C'était un beau temps pour des funérailles.

— Est-ce que mes poireaux sont arrivés? demanda-t-il.

— Oui, monsieur, vos gazettes sont là, répondit-on en lui servant sa brioche et son bouillon.

Il recevait, deux fois la semaine, les périodiques hollandais interdits qui contrariaient tant M. Hérault et que des mains anonymes se plaisaient à déposer dans sa voiture à toute occasion. Elles arrivaient cachées parmi les provisions.

— Ah! Voici les nouvelles! se réjouit Voltaire en ouvrant les feuillets, tachés de graisse et de terre à cause de la cohabitation avec les comestibles.

Bien sûr, il était trop tôt pour y trouver mention de l'assassinat du clerc. Mais les petites méchancetés qu'on y imprimait étaient toujours d'une lecture revigorante.

Rarement loin quand arrivaient les vivres, Linant avait suivi jusqu'en haut de l'escalier l'odeur de pâtisserie toute chaude. Voltaire ne put l'empêcher de goûter aux biscuits qu'il faisait cuire pour lui selon une recette certifiée par les docteurs de la Faculté.

— Vous ne devriez pas lire cela, c'est dangereux, dit l'abbé, la bouche pleine, en avisant la gazette.

— Ce qui est dangereux, ce n'est pas de les lire, c'est de les recevoir, répondit l'écrivain sans lever le nez. C'est pourquoi je les fais adresser à votre nom.

L'abbé s'exclama. Des miettes jaillirent comme les pierres ponces à l'éruption du Vésuve.

— Mais n'ayez crainte, reprit Voltaire : ce qui est vraiment dangereux, avec ces journaux, c'est d'écrire dedans.

Or il ne leur donnait jamais rien à publier. Ou alors des fables. Personne ne s'inquiétait des fables. Sauf bien sûr quand elles étaient de Voltaire. C'est pourquoi, le plus souvent, il les signait du nom de personnes décédées ou en voyage.

— C'est moi qui devrai bientôt m'installer en Hollande, se lamenta Linant.

— Bonne idée ! dit le philosophe. Prévenez-moi quand vous partirez !

Une fois le charme des potins épuisé, il lui restait celui des enterrements. Il se prépara à conduire le clerc Martin à sa dernière demeure. Sur le chemin de l'église, il fit un crochet par l'hôtel du Châtelet pour prendre des nouvelles de la marquise. Il apportait un sachet en dentelle de Tulle rempli de sucreries.

Émilie surgit dans le vestibule et s'en empara avec gourmandise. Elle n'avait pas dégonflé d'un pouce.

— La maternité vous sied à ravir ! dit poliment le philosophe. Vous avez presque retrouvé votre taille de jeune fille.

— C'est parce que je n'ai pas encore accouché, articula la marquise, qui s'était plutôt changée en ogresse qu'en jeune mère. Voyez comme vont les choses : un peu de repos, des tisanes, des lectures, et me voilà repartie pour un mois de grossesse supplémentaire !

Elle connaissait assez Voltaire pour deviner qu'il n'était pas venu admirer un éventuel bébé et s'enquit du but de sa promenade. Il s'en allait enterrer M. Martin.

Comme son ennui était en proportion de son embonpoint, elle décida de l'accompagner. Son visiteur craignit qu'un tel programme ne gâche la belle humeur dont elle faisait preuve :

— Êtes-vous sûre que les idées sombres d'une messe des morts, dans votre état…

Déjà la marquise enfilait les manches d'un gilet fourré qui s'évasait comme une tulipe sur son ventre rebondi.

— Quelles idées sombres ? Je ne le connaissais pas, cet homme ! Je sais à peine qui c'était ! Ce ne sont pas les idées sombres qui me minent, c'est l'inaction !

Ils se firent déposer à l'église Saint-Paul-Saint-Louis, dans le Marais. Un mendiant se tenait sur les marches. Quoique d'apparence solide, il s'appuyait sur un bâton qui devait lui rendre bien des services en cas de rixe. Voltaire laissa tomber une piécette dans le chapeau qu'on lui tendait : il aimait à montrer que les religieux, les intolérants, les illuminés et les fanatiques n'avaient pas le privilège de la charité.

— Merci, monsieur Arouet, répondit le malheureux avec une courbette.

— C'est adorable, dit Émilie. Ces miséreux vous connaissent par votre nom. J'ignorais que vous aviez vos habitudes dans cette église.

Il n'y avait jamais mis les pieds. Depuis la parution de l'article dans la *Gazette de France*, deux exempts le suivaient discrètement pour sa protection. Un déguisement de vagabond passait plus facilement inaperçu que celui de prince du sang, bien qu'il fût moins flatteur pour le philosophe de traîner derrière lui la crapule de Paris plutôt qu'un aréopage en pourpoint brodé.

Au premier rang des fidèles était assis le notaire, dont la figure sinistre laissait deviner les lourds soupçons qu'il nourrissait à l'encontre de son employé défunt. Voltaire vit avec surprise qu'il y avait aussi les trois héritières potentielles de la baronne. Il s'en fut les saluer, un peu par politesse, mais surtout pour s'informer de ce qu'elles faisaient là. L'une prétendit qu'elle venait pour l'éloquence du prêcheur, l'autre, qu'elle ne manquait jamais une occasion de prier pour le salut de son prochain, la troisième, qu'elle cherchait à rencontrer Me Momet, qui prit d'ailleurs grand soin de l'éviter dans ce sanctuaire ainsi qu'il le faisait à son étude.

Le clerc Martin étant sans famille, les funérailles avaient été laissées aux bons soins de la lieutenance générale de police et du notaire, qui s'étaient cotisés à hauteur de pas grand-chose. Les amis, les collègues, les curieux et les autres assistèrent donc à cette sorte de cérémonie à bon marché dont le bon goût reposait principalement sur sa simplicité.

L'organiste fit retentir les premiers accords, de toute la puissance de son instrument. On leva les yeux vers la tribune. Quel morceau était-ce là ? Une nouveauté de M. Rameau ? Un essai à l'esthétique inusitée ? Les délires d'un musicien pris de boisson ?

Le fait que le service eût commencé n'avait pas semblé à nos enquêteurs un motif suffisant pour interrompre leur conversation. Ils finirent par se rendre compte que quelque chose clochait. Leurs voisins avaient le nez en l'air et la mine réprobatrice. Alors seulement ils prêtèrent attention au galimatias sonore qui heurtait leurs tympans.

Quelqu'un était en train de jouer le code musical qui leur avait déjà coûté un plongeon dans la Seine. L'étrange mélopée résonnait entre les piliers de Saint-Paul. Ils surent qu'ils allaient être victimes d'un attentat.

Résistant à la tentation bien naturelle du malaise ou de la crise de nerfs, Voltaire bondit dans l'étroit escalier en bois verni qui menait à la tribune. Il sauta sur l'organiste avec autant de vivacité que si cet homme avait été un critique littéraire.

La confusion s'empara des personnes venues pour la messe d'enterrement. On entendait des éclats de voix peu amènes, des braillements, des injures, le vacarme d'une lutte, des notes plus curieuses encore que les précédentes, frappées par des bras et des jambes tout entiers. La cérémonie se déroulait aux cris d'« assassin ! » lancés par l'agresseur, auxquels répondaient ceux, comparables, de l'agressé.

Le mendiant affecté à la sauvegarde de l'écrivain monta assurer celle de l'organiste.

Le plus difficile fut d'arracher le malheureux à la juste colère du philosophe. Établir son innocence prit moins de temps : l'effarement du pauvre homme était évident. Quelqu'un avait remplacé une page du *Dies irae* par celle que l'on avait jouée sans se douter qu'on allait déchaîner contre soi les foudres socratiques et platoniciennes réunies.

Émilie, à qui son état ne permettait guère de gravir cet escalier malcommode, se fit apporter la partition, dont elle effectua l'analyse à l'aide d'un papier et d'un fusain, selon les règles indiquées par Rameau.

— Eh bien ! Que dit-il ? demanda Voltaire, dont la tête dépassait du parapet, à côté des grandes orgues.

La marquise était ébahie.

— Le message dit : « Étranglez Voltaire. »

La tête disparut de la rambarde, le reste de l'anatomie étant tombée à la renverse entre les bras des exempts. Il fallut porter le penseur pour lui faire regagner le dallage de marbre. Nulle philosophie n'était capable de lui faire endurer un tel coup en si peu de temps. Deux hommes venus enterrer le clerc descendirent le corps inanimé à travers le petit escalier. À cette vue, les fidèles eurent l'épouvantable impression qu'une épidémie venait de faire une victime supplémentaire. Une dizaine d'entre eux quittèrent l'église pour fuir les miasmes.

On étendit la cible sur quatre chaises de paille que les habituées de la paroisse lui abandonnèrent de bon gré. La première chose que vit l'écrivain en revenant à lui fut le visage d'Émilie, qui l'éventait avec la partition maudite. Une douleur diffuse le prit au ventre.

— Il y a quelque chose, dans ce pays, que je ne digère pas, dit-il comme on l'aidait à s'asseoir.

La marquise avait son idée sur la question.

— Savez-vous pourquoi vous êtes toujours malade ? Parce que vous n'avez pas encore trouvé le grand but de votre vie !

Il la pria de le guérir en lui indiquant ce que cela pouvait être.

— Que sais-je, moi ? Vous pourriez œuvrer pour le bien-être de l'humanité et l'amélioration de notre société, par exemple !

Voltaire leva les yeux au ciel. C'était d'un viatique qu'il avait besoin, non d'une auréole. S'il se fondait sur ce qui était arrivé à la baronne, il n'avait plus une heure à vivre. Il se résigna à périr avec philosophie, comme l'avait fait l'un de ses éminents prédécesseurs :

— Ce félon sera ma ciguë !

On le ramena à l'hôtel de Fontaine-Martel déjà à moitié trépassé ; on l'aida à rallier sa chambre, on le mit au lit, son bonnet de coton sur la tête, on laissa les rideaux du baldaquin ouverts pour qu'il ne fût pas dans le noir, et on se retira afin de le laisser reposer en paix. Émilie annonça qu'elle allait lui préparer un chocolat aux épices dont elle avait le secret. Les exempts descendirent surveiller les abords de la maison.

Les lieux étaient sous bonne garde, il y avait du monde, Voltaire ferma les yeux et se répéta qu'il ne risquait rien : il était en sûreté, tout était bien, tout était pour le mieux dans le meilleur des mondes.

Il y eut un fracas de verre brisé. Une main gantée venait de traverser le carreau et tournait la poignée de la croisée. Une ferme poussée finit d'ouvrir la fenêtre, un inconnu botté sauta dans la pièce. Il était tout en noir, le visage à demi couvert par un foulard. C'était bien ce qu'avait pensé Voltaire, le soir du meurtre de sa baronne : la mort était venue des toits. La sienne, peut-être, aussi.

Il repoussa violemment les couvertures. À l'exception de ses souliers, il était tout habillé et tenait fermement sa canne, qu'il brandit de manière à tenir l'assassin éloigné de deux toises.

— Vous ne comptez pas sur cet objet pour sauver votre vie ? railla le spectre.

— Non ! répondit l'écrivain. Je compte sur eux ! Saint-Barthélemy ! Saint-Barthélemy !

C'était l'appel convenu pour alerter les exempts postés en bas. On les entendit se ruer dans l'escalier.

L'assassin eut une réaction imprévue. Sous les yeux horrifiés du philosophe, il courut à la porte, tira de sa poche une clé dont il donna un tour dans la serrure.

Voltaire comprit qu'il ne pouvait plus compter sur la force publique, si tant est que cette phrase eût jamais eu un sens. L'intrus aurait tout loisir de l'assassiner tandis que les séides de M. Hérault tambourineraient contre le battant. Il était bien placé pour savoir que le bois était solide : il avait prié Linant de se jeter dessus pour vérifier qu'on ne risquait pas de l'attaquer pendant son sommeil.

Il ne perdit pas de temps à réfléchir. Puisque l'assassin était arrivé par la fenêtre, c'était un chemin que l'on pouvait emprunter en sens inverse. Il enjamba le garde-fou et se retrouva sur le toit, dans le vent glacé de cette fin février, pieds nus dans ses bas de soie. L'avantage, c'était qu'il ne risquait pas de glisser sur les semelles de cuir des souliers qu'il ne portait pas. En revanche, il sentait ses orteils geler au contact des ardoises. Il était par ailleurs adepte d'un exercice physique très modéré qui ne préparait guère à des efforts d'équilibriste. Il progressait à quatre pattes, en s'écorchant les genoux, et se cramponnait à ce qui se présentait, sans arrêter de faire des réflexions sur les dangers inattendus de la philosophie.

Mieux équipé, plus agile et mû par une fureur iconoclaste, son poursuivant le rejoignit en quelques enjambées et brandit sur lui une lame dont l'écrivain songea avec horreur qu'elle avait dû être plongée dans le sein de sa baronne. Il tenta de l'arrêter au cri de :

— Vous commettez une terrible erreur !

Convaincu du contraire, l'assassin s'apprêtait à en finir quand une pierre venue de nulle part le frappa à la tempe. Il poussa un cri et se tourna vers la rue. En bas, juché sur le toit d'un fiacre, un homme qui portait le lourd manteau de cuir des cochers rechargeait la fronde avec laquelle il venait de le blesser.

Le tueur tenait sa tête douloureuse d'où s'échappait un filet de sang. Un autre caillou le rata de peu. Il ne pouvait plus rester sur ce versant du toit. L'écrivain en profita pour ramper du côté où les pierres le protégeaient. Il s'accrocha fermement à une souche de cheminée et eut le pressentiment qu'il allait falloir des instruments de menuiserie pour l'en détacher quand on daignerait venir à son secours.

Les exempts avaient enfin pris pied sur ces hauteurs malgré le vertige et leur hésitation à risquer leur vie pour celle de Voltaire. Le tueur se vit cerné d'un côté par la chiourme, de l'autre par la fronde, et sur le troisième par la grenouille gémissante cramponnée à sa cheminée.

Il approcha du bord.

L'écrivain eut l'horrible intuition que cet homme songeait à se suicider sous ses yeux plutôt que de se laisser prendre. La seule chance qui lui restait était de passer sur le toit mitoyen : celui-ci était si bas que personne n'aurait eu le cran de l'imiter.

La raison poussa Voltaire à lui crier de n'en rien faire, qu'il allait se tuer; c'était montrer à quel point il était philosophe, car cet accès de pure logique allait contre ses intérêts immédiats. L'assassin le dévisagea un instant. Quand il n'eut plus de choix que de sauter ou de se rendre, il s'élança.

Il parvint en effet à atteindre l'hôtel d'à côté sans se casser les jambes. Seulement, il perdit l'équilibre en touchant les ardoises, qui éclatèrent sous son poids, il roula dans la pente sans réussir à s'accrocher et tomba dans le vide.

Les policiers furent plus pressés d'aller jeter un coup d'œil en bas que de secourir Voltaire, malgré les appels désespérés du survivant. On était davantage attiré par les criminels morts que par les philosophes en vie, ce qui est un désespoir de tous les temps.

Enfin parvenu à se détacher de sa cheminée et à crapahuter jusqu'à sa fenêtre, celui dont l'adresse et la présence d'esprit avaient une nouvelle fois assuré le triomphe du Bien descendit dans la rue constater l'état du Vice. Tout un tas de monde s'était réuni autour du corps désarticulé : policiers, serviteurs de l'hôtel et des maisons voisines, et même Mlle de Grandchamp, dont les traits n'exprimaient qu'une vague curiosité pour cette chose morte – et peut-être aussi la déception de voir que ce n'était pas le vilain parasite qui avait péri et que l'affreux cafard était toujours parmi eux.

Le cadavre était étendu sur le pavé, dans une position qui ne laissait aucun doute sur son état de santé. Le foulard qui dissimulait ses traits avait glissé de son visage désormais figé.

Hérault avait rejoint ses sbires.

— Qui est cet homme ? demanda-t-il au rescapé.

— C'est Robert Dubois, le marchand de liqueurs du bout de la rue, répondit Voltaire. Je lui parle tous les jours quand je vais remplir mon pichet. Quelle pitié !

— Vraiment ? s'étonna le lieutenant général.

— Non ! éclata l'écrivain. Je ne sais pas qui c'est ! Comment voulez-vous que je le sache ? C'est vous qui êtes censé tenir des carnets sur tout le monde !

En attendant de consulter les dossiers et d'exposer l'inconnu à la morgue, où défileraient les personnes susceptibles de l'identifier et les curieux en mal d'émotions, on devait se contenter de vider ses poches.

Il n'avait sur lui qu'un poignard effilé qui pouvait bien avoir servi à tuer une baronne.

CHAPITRE VINGT-TROISIÈME

Où Voltaire s'efforce de transplanter
le cerveau d'un clerc
dans le corps d'une marquise.

Leur poursuivant mort, on allait être tranquille. On le serait plus encore quand on aurait démontré à Hérault que l'homme tombé du toit était bien l'assassin de la baronne. Le mieux aurait été de perquisitionner à son domicile, et pour cela il fallait savoir qui il était.

Voltaire songea que les enquêtes étaient comme la philosophie : la découverte d'une certitude amenait cent nouvelles interrogations. Autant dire que c'était là l'occupation de toute une vie et une tâche trop délicate pour la laisser aux mains de la police.

— Un policier est pire qu'un jésuite : non seulement il est borné, mais il ne parle même pas latin.

À ce propos, il était persuadé que ce saut désespéré était un suicide détourné. D'après cette façon de composer avec le Bon Dieu, il déduisit que cet homme était aussi religieux que fourbe.

— Voilà bien une attitude de jésuite !

— De jésuite... ou d'autre chose, dit Émilie, pensive.

Voltaire en tenait pour les jésuites, ils étaient ses ennemis personnels.

— La chose est claire : il y a un complot dans Paris pour éteindre la voix de la liberté. D'abord ma chère baronne, qui avait le courage de penser par elle-même, puis moi, le flambeau de la résistance à l'obscurantisme ! Les fanatiques veulent ma mort !

Il voyait dans cet assassin la tête de pont des illuminés acharnés à le perdre. Il était habitué aux combats de plumes, mais s'il fallait à présent se colleter avec des furieux sur des toits glissants, la lutte pour la vérité allait vraiment devenir difficile.

La marquise le félicita d'avoir survécu à cette épreuve.

— Je résisterai à tout jusqu'au jour où quelque chose me résistera, répondit-il.

Il convenait d'appliquer à leur problème ces facultés qui faisaient l'envie de toute l'humanité pensante.

— Imaginons que le clerc Martin n'ait pas détruit le testament dont il s'est servi pour enrichir Mlle de Grandchamp, proposa-t-il comme point de départ.

Il estimait fort possible que le faussaire eût voulu conserver par-devers lui un atout qui lui permettrait de faire chanter sa commanditaire sans se compromettre : il lui aurait suffi de rendre le vrai document au notaire sans se nommer, ou même de le vendre à la véritable bénéficiaire ; sa complice aurait tout perdu sans qu'il eût pris grand risque. Si le faux testament faisait sa fortune à elle, le testament volé était la clé de sa fortune à lui.

Émilie objecta que la chère demoiselle avait sûrement récupéré ce papier après avoir poignardé son compère. La pièce authentique ne devait plus être, à l'heure actuelle, qu'un petit tas de cendres au fond d'un brasero.

Voltaire voyait là une éventualité, non une certitude. Il baissa la voix pour n'être pas entendu des oreilles indiscrètes dont la maison était truffée.

— Supposons que notre meurtrière préférée n'ait pas trouvé le testament chez Martin, le jour du meurtre. Par exemple parce qu'il n'y était pas. Voyons, ma chère : à la place d'un clerc de notaire qui a commis une faute impardonnable, une faute susceptible de l'envoyer finir ses jours aux galères, conserveriez-vous à domicile la preuve de votre forfait ? Comment agiriez-vous pour garder la main sur ce papier sans qu'on puisse s'en servir contre vous ?

Émilie répondit qu'elle n'en avait pas la moindre idée. Si altruiste et généreuse fût-elle, elle avait du mal à se mettre à la place d'un modeste employé à vingt sous la journée. Un abîme séparait, à ses yeux, une marquise du premier rang, reçue à Versailles, dans l'intimité de la reine, et un rien du tout capable d'infamie et de médiocrité.

Voltaire s'agaçait d'autant plus de ces préjugés qu'il y voyait quelque chose de méprisant envers sa personne. Il était né au sein d'une bourgeoisie certes ambitieuse, mais que les nobles de cour avaient du mal à discerner de la crotte environnante. L'élite autoproclamée avait du mal à faire cas de quiconque n'affichait pas un ou deux siècles de chevalerie, même si l'examen de leurs arbres généalogiques révélait la plupart du temps des alliances réitérées avec des fortunes tout à fait roturières. En un mot, on campait d'autant plus sur ses prérogatives que ses aïeux avaient dû composer avec leurs principes pour redorer le blason familial.

La marquise voulut bien nonobstant, par amour de lui, s'interroger un instant sur les préoccupations des gratte-papier.

Voltaire était à deux doigts de lui rappeler que son père, le baron de Breteuil, avait été le tout premier de sa famille à accéder à la noblesse grâce à une modeste place de lecteur auprès de Louis XIV, et que leur nom, Le Tonnelier, suggérait un genre de métier fort éloigné du service nobiliaire. Il fut coupé dans son élan, car elle s'écria :

— Si j'étais lui, je placerais ce papier dans un écrin précieux que je déposerais chez un usurier.

L'écrivain lui fut redevable de cet effort surhumain, mais la solution n'était pas satisfaisante. L'usurier était susceptible de reconnaître le clerc devant un tribunal et ces sortes de gens étaient de fidèles indicateurs de la police. Par ailleurs, cela imposait de posséder un écrin précieux, article plus commun chez les marquises de la rue Traversière que chez les clercs aux fins de mois difficiles.

À vrai dire, il avait son idée. La question s'était déjà posée à lui. Combien de fois avait-il été écartelé entre des manuscrits remplis de pensées trop élevées pour son temps et les menaces de perquisition proférées par ses ennemis ?

— Vous les avez cachés derrière vos vilains tableaux ! s'exclama Émilie en examinant avec admiration les paysages flamands suspendus à des cordons rouges ornés de gros nœuds.

Elle s'expliquait mieux la passion de son ami pour ces croûtes du siècle précédent. Qui pouvait avoir envie d'accrocher chez soi un « Coucher de soleil sur la baie de Zuydcoote » ? Ils étaient environnés d'écrits d'une haute portée coincés contre les murs, c'était enthousiasmant ! Elle se promit de lui offrir son portrait dans un format commode pour y placer les *Lettres philosophiques anglaises*.

— Mais non ! dit Voltaire. Le dos de ces chefs-d'œuvre est le premier endroit où Hérault viendrait regarder – après mon matelas, mes fonds de culottes et mon pot de chambre. Allons, chère amie ! N'existe-t-il pas une institution accessible à tous, peu coûteuse, qui se charge de prendre vos écrits dans un parfait anonymat ?

— Un concours de l'Académie ? supposa-t-elle.

Il leva les yeux au ciel. La description qu'il venait de faire résumait parfaitement le service des postes de Sa Majesté.

Restait à savoir, dans le cas où Martin s'était fait le même raisonnement, à quelle adresse il avait pu envoyer le vrai testament pour le mettre en sûreté.

— Chez lui ! dit Émilie. Il se l'est envoyé à lui-même !

Voltaire commençait à avoir la migraine.

— De Paris à Paris, on le lui aurait rapporté le lendemain, peut-être le jour même. Autant se tirer une balle dans le pied.

Il fallait une destination qui permît de voir revenir la lettre au bout d'un certain temps, huit jours au moins.

Ce fut cette fois Émilie qui eut l'idée. La poste était un système comme un autre, pas plus compliqué que l'orbite d'un satellite autour d'un astre, son fonctionnement était parfaitement accessible à l'intelligence d'une mathématicienne.

— Voyons, cher ami, comment utilise-t-on la poste royale ? On remet sa lettre cachetée au bureau de départ de la région où vit la personne à qui l'on a écrit. La malle l'achemine et réclame le paiement au destinataire.

— Bien sûr, dit Voltaire. Il ne manquerait plus qu'il faille payer pour donner son courrier. Notre monde a encore une certaine logique. On ne doit jamais payer que ce que l'on reçoit.

— Ainsi donc, reprit la marquise, si on envoie une lettre à une personne qui ne nous connaît pas et qui vit loin, il y a toutes les chances que celle-ci refusera d'acquitter le transport coûteux d'un message écrit par un inconnu. La lettre repartira vers l'envoyeur, à qui on la présentera, et on le priera de s'acquitter des deux courses, l'aller et le retour. Ce qui ne fait pas cher pour un dépôt. Si Martin a choisi d'expédier le testament à l'autre bout du royaume, il pourra s'écouler plus d'une semaine avant qu'il ne lui revienne.

Ils calculèrent le délai maximal, en fonction de l'éloignement et de la rapidité des différents services, tous bien connus des épistoliers. Ils en déduisirent que le retour de la missive était pour ce jour-là.

Il convenait d'aller prendre pension chez le clerc pour attendre le courrier.

Il n'était pas question d'être reconnus par la voisine ou par la police, à qui un esprit mal tourné servait d'intelligence, aussi se procurèrent-ils les déguisements adéquats. Émilie enfila une capeline fortement défraîchie qui avait appartenu à l'économe baronne. Quant à Voltaire, son principal artifice consista à retourner sa veste. Autant l'extérieur était chatoyant et brodé, autant l'intérieur était aussi noir et simple que les pensées d'un janséniste. Avec quelques accessoires tels qu'un petit col blanc et une calotte, sans oublier une expression pateline que cet illusionniste habile jugea de circonstance, il eut tout à fait la mine d'un curé de province. On le prendrait aisément pour le chapelain de madame, leur duo avait tout pour inspirer confiance. Au moins pouvait-on dire qu'elle n'était plus marquise, qu'il n'était plus mécréant, ce qui les changeait beaucoup, en tout cas à leurs propres yeux.

Ils surent qu'ils avaient bien fait lorsqu'ils notèrent la présence, devant la maison, d'un mouchard à moitié gelé qu'on avait dû charger de repérer les allées et venues suspectes.

Ouvrir la porte de M. Martin ne présenta pas de difficulté : un artisan avait démonté la serrure, dont l'emplacement rond et vide ressemblait à un œil lumineux. Émilie fit rapidement le tour du propriétaire, Voltaire alluma le feu, épousseta les sièges les moins branlants, et ils s'assirent pour discuter de sujets élevés tels que sciences, littérature et menus potins.

L'homme qui faisait le pied de grue devant la maison pour mettre la main au collet d'un éventuel complice laissa passer le porteur de la missive sans se douter de rien : le froid lui engourdissait le jugement. Voltaire et Émilie, en revanche, étaient au chaud. Ils avaient brisé deux chaises pour alimenter la cheminée. Ils devaient seulement éviter de se montrer à la fenêtre pour ne pas alerter le chien de garde qui piétinait sur la chaussée.

Ils envisageaient de sacrifier un guéridon quand on gratta au battant qu'ils avaient refermé derrière eux pour éviter les courants d'air.

— Entrez ! dit Voltaire.

Ils virent paraître un de ces garçons que l'administration employait pour acheminer les plis chez les Parisiens. Le gamin s'attendait à être mal reçu, vu que la lettre avait été refusée par son lointain destinataire. Martin avait eu l'idée d'adresser son précieux document « à Monsieur le Secrétaire de l'Académie poétique de Toulon », sûr que cet homme ne débourserait pas un sou pour lire les fadaises d'un inconnu.

Émilie fut si enchantée d'avoir vu juste qu'elle engagea l'adolescent à se réchauffer devant la cheminée avant de partir, tandis que Voltaire fouillait sa bourse à la recherche de la somme demandée. Le postier fut tout heureux d'être payé et de recevoir, en plus, une généreuse gratification. C'est satisfait et ragaillardi qu'il passa une seconde fois sous le nez de l'exempt transi de froid et d'humidité.

Nos héros attendirent d'être à nouveau seuls pour décacheter le pli qu'ils tenaient entre leurs mains.

— Alors ? Alors ? fit la marquise.

Elle craignait tout à coup qu'ils n'eussent dépensé leur argent, enfin, celui de Voltaire, pour lire de vilains vers signés Martin.

L'écrivain lui montra le papier déplié. Pour quelques sous, ils s'étaient offert un testament qui valait de l'or. C'est bien le texte qu'Émilie avait reconstitué chez Me Momet, mais cette version-là était complète. Elle la lui arracha pour la parcourir.

— « *Je lègue l'ensemble de mes biens*, bla-bla-bla, *enfin tout ce qui se trouvera m'appartenir au jour de mon décès, à ma chère...* »

Elle s'interrompit.

— À qui ? À qui ? fit son comparse.

— « *... à ma chère Marie-Françoise de Clère, fille de mon cousin par alliance, François Martel, comte de Clère, dont elle a le malheur d'être orpheline depuis l'année 1721. Je désire de cette manière faire la fortune d'une personne méritante qui tienne des Martel.* »

La révélation de l'identité de l'héritière suscita surprise et accablement.

— « *Dans ce but, je déshérite par la présente tout parent, enfant*, et caetera. *Le présent testament annule et remplace toutes mes dispositions antérieures*, et cætera. *Antoinette-Madeleine Desbordeaux, veuve de Fontaine-Martel.* »

— Je suis assez contente de mon raisonnement, il se vérifie en tout point, conclut Émilie. En revanche, votre baronne était d'une indéfectible méchanceté.

Elle avait ruiné sa propre fille et sa demoiselle de compagnie pour laisser sa fortune à celle des trois qui en avait le moins besoin.

CHAPITRE VINGT-QUATRIÈME

Où l'on voit notre héros s'acoquiner avec une éleveuse de cochons.

Qu'avait voulu dire la baronne par « une personne méritante qui tienne des Martel » ? Sa propre fille n'était-elle pas méritante à ses yeux, et en quoi ? N'était-elle pas du sang des Martel aussi bien que sa cousine ? Certes, Mlle de Clère ne pratiquait pas les austères principes jansénistes qui déplaisaient tant à la baronne – pour autant que la jeune fille pratiquât quelque principe que ce fût entre poisons et confitures. Il fallait que Mme de Fontaine-Martel eût été fort dégoûtée de la rigueur religieuse ou fort entichée de sa jeune parente.

On frappa à la porte. Les conjurés échangèrent un regard inquiet. Se pouvait-il qu'on leur apportât encore du courrier ? Un troisième testament ? Deux paires de menottes envoyées par le lieutenant général ?

Voltaire alla voir ce que c'était. Il se trouva nez à nez avec la voisine du dessous, curieuse de savoir pourquoi elle entendait du monde chez M. Martin, qu'elle avait enterré le matin même.

C'était une vraie fouine. René Hérault aurait dû l'engager pour mener ses enquêtes à la place des bras cassés dont il s'entourait; sans doute avait-il d'ailleurs chez ce genre d'indiscrets sa source de renseignements la plus utile.

Ils avaient bien fait de se travestir, l'importune ne les reconnut pas. Évidemment, ce déguisement avait ses limites.

— C'est fou ce qu'il y a de femmes enceintes, cet hiver, dit la voisine devant le ventre rebondi de la marquise.

C'était la deuxième fois qu'elle en voyait une dans la maison en quelques jours. Un vent de Saturne avait dû répandre son souffle capricant sur le pays à l'été précédent.

Voltaire expliqua qu'ils étaient des parents de M. Martin venus de province pour expédier les formalités et recueillir l'héritage. Voltaire se présenta comme le cousin Abel, curé à Angoulême.

— Et Madame est la cousine Zelda, elle a épousé un éleveur de porcs dans le Poitou.

La cousine du Poitou fronça les sourcils.

— Un éleveur de porcs de la première distinction, précisa Voltaire.

— Ah, je me disais, aussi, dit la vieille dame en hochant la tête d'un air pénétré.

Ils n'avaient d'autre pensée que de la renvoyer à son étage et de s'en aller au plus vite avec leur précieuse trouvaille, mais l'intruse ne l'entendait pas de cette oreille. Elle s'assit dans un fauteuil sans rien demander et entama l'éloge du disparu avec la mine satisfaite d'une personne en mal de conversation. Il allait falloir un treuil pour soulever ce postérieur-là.

Condamnés à se montrer polis, ils lui demandèrent si elle avait été très proche de leur malheureux cousin. Il apparut qu'elle était moins attachée à ce viveur invétéré qu'à ses alcools de canne en provenance des colonies. Entre deux sous-entendus sur la vie déréglée du clerc, qui rentrait à pas d'heure, fréquentait des gens louches et sentait parfois le vin, elle les informa qu'elle accepterait volontiers un petit verre de ratafia pour supporter sa tristesse.

— Hélas nous n'en tenons pas, je le déplore, répondit l'écrivain, l'œil rivé à la pendule de la cheminée.

— Oh, mais si, c'est la partie de votre héritage qui est dans l'armoire du bas, dit la dame en désignant du doigt l'emplacement des réserves.

Comme elle connaissait aussi celui des verres, on ne tarda pas à lui servir deux doigts d'un liquide roux et sirupeux.

La dame était étonnée que la fiancée du clerc ne se fût pas chargée des questions matérielles. Elle faisait allusion à une demoiselle aux cheveux roux, bien comme il faut, qu'elle avait vue monter chez lui à plusieurs reprises.

On lui répondit que la pauvre jeune femme était trop submergée par le désespoir pour être bonne à quoi que ce soit. Elle avait déjà beaucoup fait pour le défunt, elle s'était dévouée pour lui corps et âme jusqu'à son dernier souffle.

— Oh, ça oui ! leur confirma la dame avec un hochement de tête complice, en vidant son deuxième verre de liqueur exotique.

Émilie se félicita d'habiter son propre hôtel, sans voisin direct avec qui partager les petits détails de son quotidien. Dans ces immeubles de rapport, on n'avait pas sa vie à soi. Certes, elle n'avait rien à cacher, son existence était transparente, sa conscience pure comme le cristal, mais quand même. Nul n'avait envie d'avoir vingt paires d'yeux à la fenêtre pour vous regarder affronter les tentations immorales qui se présentent dix fois par jour aux femmes émancipées.

— Vous ne buvez pas ? s'étonna la visiteuse.

— Madame ! dit Voltaire en désignant son habit de prêtre.

S'il prétexta de son état d'ecclésiastique pour ne pas toucher au breuvage dont elle se délectait, ce fut surtout parce que son estomac n'était pas remis de ses acrobaties sur les toits de Paris.

— Ah, oui, fit la voisine, bien que leur profession n'empêchât pas nombre d'hommes d'Église de goûter leur vin comme les autres.

Quant à Émilie, elle y trempa à peine les lèvres. Des grincheux prétendaient que l'alcool n'était pas bon pour les fœtus, bien que la Société royale de médecine recommandât la consommation de bière pour fortifier les mères, ainsi que l'avait écrit Galien quinze siècles plus tôt dans quelque traité bien informé.

La cloche de l'église voisine sonna. Ils avaient déjà trop forcé leur chance, il fallait s'en aller. On incita la visiteuse à finir son verre et on lui offrit le reste de la bouteille pour s'en débarrasser. La volubilité de l'importune irritait le faux curé. Un second crime atroce se méditait dans ce logement miteux.

— Vous devriez aérer, c'est confiné, ici, dit la dame. Je suis sûre que personne n'a ouvert la fenêtre depuis le décès. Ce n'est pas sain de respirer une atmosphère corrompue par un cadavre.

Les vapeurs d'esprit de canne lui donnaient envie d'air frais. Il fut impossible de l'empêcher d'aller ouvrir la croisée.

Ses supérieurs avaient ordonné au policier posté en bas de surveiller ce qui pourrait se passer de bizarre chez la victime. Or il se passait quelque chose de bizarre : il y avait du monde à la fenêtre. On le vit débouler dans la minute; la porte sans serrure s'ouvrit à la volée.

La vision des trois suspects le remplit de stupéfaction.

— Qu'est-ce que c'est que cette réunion? s'exclama-t-il.

De toute évidence, on trinquait chez le mort.

La voisine lui présenta le cousin Abel et la cousine Zelda, « éleveuse de porcs dans le Poitou » – sourire contraint de la marquise –, venus rendre leurs devoirs à ce pauvre M. Martin. Le policier lui demanda si elle les connaissait. Après une demi-bouteille de ratafia, elle aurait reconnu le roi, le Grand Turc, saint Nicolas et le policier lui-même s'il lui avait posé la question.

— Bien sûr, voyons ! Me croyez-vous femme à boire avec n'importe qui ? répondit-elle sur un ton outragé, en levant son verre dans sa direction.

Voltaire se hâta de le lui remplir. Il proposa au policier de les rejoindre dans leurs libations en l'honneur du cher disparu. Il apparut que l'interdiction de s'enivrer pendant le service n'était pas un obstacle infranchissable quand il s'agissait de profiter d'une aubaine.

— Pardonnez-nous de ne rien vous offrir à grignoter, dit Voltaire. La cousine Zelda a oublié d'apporter des saucissons de son commerce. L'émoi de cette nouvelle tragique nous a déboussolés...

On s'apitoya sur le désarroi de la pauvre Poitevine. Pour montrer que l'on compatissait à sa douleur, on trinqua au nom de feu son cousin, de son mari, l'éleveur de porcs, des porcs eux-mêmes et du cours de la saucisse dans la région de Poitiers.

Après avoir bien bu aux frais du mort, l'exempt se plaignit de ses supérieurs, qui le forçaient à piétiner dans le froid, devant une maison où personne ne venait et où il n'y avait sûrement rien à apprendre d'intéressant.

Voltaire sentait, dans sa poche, l'épaisseur du testament susceptible de renverser des fortunes, de changer des destins, ce document pour lequel deux meurtres avaient déjà été commis. Il proposa de boire à la santé des forces de police zélées que dirigeait René Hérault.

— C'est un nom d'assassin ! déclara la voisine, un peu éméchée par le sixième verre.

L'exempt ne serait pas allé jusqu'à employer ce terme, mais il avait lui aussi quelques adjectifs choisis pour définir ce lieutenant général incapable de reconnaître à leur juste valeur les mérites de ses meilleurs collaborateurs.

Émilie et Voltaire étaient d'accord sur ce point.

Le ratafia aidant, les cousins de province parvinrent enfin à se défaire de l'idiot et de la poivrote. La vigilance de l'exempt s'annonçait d'autant moins efficace qu'il était pris de boisson. Heureusement, grâce à eux, il n'y avait plus rien à surveiller. Les fouineurs et lui se quittèrent copains comme cochons poitevins.

Ils étaient en possession d'un titre d'une grande importance qui ne leur appartenait pas. La seule personne habilitée à le détenir était le notaire Momet, à qui cette pièce avait été dérobée. L'honneur, l'honnêteté la plus élémentaire les obligeaient à la lui restituer au plus vite.

Voltaire résolut donc de la lui rapporter personnellement après un petit détour chez Mlle de Clère : il avait un détail à régler avant de se départir du document. Une fois que l'on serait en mesure de clore la succession, on risquait fort de mettre dehors un écrivain méritant qui craignait la solitude, les logis exigus et les frimas. Il n'avait pas œuvré en faveur de la jeune orpheline pour se voir jeter à la rue du jour au lendemain. Il importait d'aller rendre visite à la petite millionnaire tant qu'elle ignorait encore sa bonne fortune.

Ces dames de Clère auraient été fort déconcertées d'apprendre que Voltaire était entré dans les ordres. Avant de se présenter chez elles, il quitta son déguisement d'abbé – c'est-à-dire qu'il ôta son col blanc, sa calotte, retourna son pourpoint et troqua son expression bonasse de curé repu pour celle de l'écrivain génial, du chantre de la liberté, en un mot, une expression conforme à ce qu'il voulait paraître.

La transformation achevée en un tournemain, il se présenta chez la comtesse de Clère. Cette dame, veuve depuis bientôt douze ans, qui avait élevé ses enfants avec courage, avait consenti tous les sacrifices pour leur faire donner une bonne éducation et devait à présent marier sa fille.

Après avoir offert une tasse de thé au visiteur, on s'excusa de le recevoir si mal. On n'avait pas de brioche, mais on avait des tartines.

— Voulez-vous des confitures? proposa l'affreuse gamine.

— Non merci, dit Voltaire, avec autant de vivacité que si on lui avait tendu la ciguë.

Il se lamenta intérieurement. Toutes leurs recherches testamentaires n'avaient servi qu'à ruiner la peste pour enrichir le choléra.

La conversation roula sur le sujet des belles-lettres, dont il était, depuis *Zaïre*, l'un des représentants les plus en vue. Hélas, tous n'avaient pas sa chance, et la condition d'homme de plume était un pari de l'intelligence contre la détresse. Il dressa le tableau d'un auteur voué à périr de faim, de froid et de solitude par suite d'une scandaleuse injustice.

— Le pauvre ! compatit Mme de Clère. Qui est-ce donc ?

— C'est moi, dit Voltaire avec son regard de chien battu.

La rue, la misère, la maladie, c'était là le sort que lui avait promis « la Grandchamp », cette intrigante qui leur avait déjà fait tant de mal, à elles, en les spoliant d'un héritage qui aurait pu leur revenir. Elles eurent la politesse de s'indigner :

— Vous chasser de votre chambre en plein hiver ! Quelle honte ! La personne qui héritera cette maison devra respecter les volontés de la baronne, c'est bien le moins qu'elle pourra faire !

Voltaire déclara que leur compassion était un baume. Il demanda si elles pouvaient lui confirmer cela par un petit écrit dressé entre eux pour la forme.

CHAPITRE VINGT-CINQUIÈME

Comment Voltaire œuvra pour le triomphe de la morale chrétienne.

La vie auprès de Mlle de Grandchamp avait franchi les limites du supportable. La cohabitation avec des meurtrières est peu propice à la réflexion, elle nuit à la tranquillité dont un penseur a besoin pour réformer la société. Il fallait se débarrasser de cette incommodité avant qu'elle ne devînt une nuisance pour la littérature française.

Un honnête homme a grand intérêt à s'aider lui-même sans attendre les secours de la Providence, aussi Voltaire se résolut-il à prendre des mesures. Il fit une visite à la maison d'à côté, dont il revint fort satisfait.

Il ne s'était pas trompé sur les mauvaises intentions de Victorine, elle avait bien une dent contre lui. À peine eut-il tourné le dos qu'elle profita de son absence et du sommeil de Linant, qui ronflait sur un sofa, pour fouiller les affaires de l'écrivain comme elle avait fouillé celles de la baronne.

Le petit appartement sur le jardin était rempli de livres et de tableaux au milieu desquels trônait un fauteuil confortable, quoique déjà ancien et bien usé.

Comme tous les malfaisants qui mettent leur nez dans les secrets des autres, elle ignorait de combien de temps elle disposait pour mal faire, il fallait aller au plus pressé. Elle avait entendu dire à l'importun que sa canne était une arme puissante. Pour une fois, il était sorti sans cet objet, posé près de la porte. Victorine voulut voir l'épée ou le couteau caché à l'intérieur. Elle fut toute surprise, ayant dévissé la poignée en argent, d'avoir entre les mains un rouleau de papier couvert d'une écriture serrée, le manuscrit original des *Lettres philosophiques*.

Elle délaissa les pages et leur curieux support et chercha quelque chose d'utile.

Après s'être constitué une petite liasse de correspondance à examiner de plus près, elle en était à essayer de forcer le tiroir du secrétaire à l'aide d'un coupe-papier quand Voltaire entra. L'instrument tranchant que la jeune femme tenait entre ses doigts crispés n'annonçait rien de bon. L'écrivain saisit sa canne et la mit en garde :

— Méfiez-vous : cette arme est capable de faire tomber bien des têtes !

— Ne vous fatiguez pas, rétorqua-t-elle avec une moue : je sais qu'elle est pleine de vieux papiers sans intérêt.

— Comment, sans intérêt ! couina l'auteur.

De toute évidence, sa signature était plus propre à effrayer les puissants que les petites criminelles ; c'était une arme à longue portée.

Il était temps d'avoir avec l'insolente une explication décisive. Voltaire s'assit dans son cher fauteuil d'époque Régence, dont la bourre bien épaisse compensait le peu de volume de son fessier. On lui avait donné, dans la maison d'à côté, des bonbons qui étaient tout à fait de circonstance.

— Un loukoum, ma chère ? C'est une sucrerie d'Istanbul.

Victorine refusa.

— Merci. Je surveille ma taille. Je n'ai pas envie de ressembler à la Fontaine-Martel.

— Je crains en effet que ces douceurs exotiques ne vous soient indigestes, dit Voltaire.

Il avait lui-même un certain code d'Istanbul qui lui était resté sur l'estomac.

En premier lieu, il la plaignit d'avoir été trompée par la baronne. La vieille dame n'aurait pas dû l'ôter à ses parents, ni lui faire miroiter un legs qu'elle n'avait aucune intention de lui faire.

— Il est bien triste de constater qu'on ne peut plus se fier aux personnes âgées. Alors, vous pensez, aux jeunes gens ! ajouta-t-il avec un regard en coin vers la demoiselle.

Victorine de Grandchamp avait ceci de philosophique qu'elle croyait, elle aussi, à la nécessité de prendre son destin en main. Il était dommage que ces mains soient à présent tachées de sang.

L'accusée protesta : ce n'était pas elle qui avait poignardé la baronne, elle était prête à le jurer. Voltaire lui conseilla de rester dans ces dispositions en prévision du jour où elle comparaîtrait devant ses juges.

Il était convaincu qu'elle avait hâté la fin de sa maîtresse afin de profiter de l'indépendance promise. Sa patience envers la vieille dame exigeante s'était tarie le jour où celle-ci avait évoqué le legs posthume. Victorine possédait de la ressource, de l'imagination, une totale absence de scrupules ; la baronne n'avait aucune chance de s'en tirer. Il soupira. Celui qui a eu les moyens de mieux faire et n'en a pas usé est seul tributaire de son malheur.

Voltaire se sentait un peu responsable du drame. C'était lui qui avait convaincu la baronne d'annoncer à sa lectrice qu'elle lui ferait profiter de ses dernières volontés. Il voulut bien lui accorder qu'elle ne l'avait ni poignardée ni empoisonnée : il penchait pour l'étouffement à l'aide de l'oreiller. La baronne expédiée, Victorine avait dû vider les tiroirs, une activité qu'elle pratiquait volontiers, comme il venait de le vérifier. À la lecture du testament, elle avait pu constater qu'elle n'héritait de rien. Aussi avait-elle brûlé ce terrible papier annonciateur de tristes nouvelles, celui-là même dont Émilie du Châtelet avait ramassé un petit morceau dans la cheminée.

Le seul espoir de Victorine consistait à récupérer le double conservé par le notaire. Sans doute avait-elle fait la connaissance du clerc Martin en accompagnant sa maîtresse chez Me Momet. Elle ne disposait pas de beaucoup de temps avant que les héritières ne se précipitent. On pouvait supposer qu'elle avait proposé à Martin d'éponger ses dettes, en plus de s'être jetée dans ses bras ; l'argent corrompt plus vite que les sentiments, c'est pour cela qu'on l'a inventé. La perspective de se partager quarante mille livres de rentes est de nature à ébranler le caractère d'un amateur de cartes et de jolies filles.

Juste avant l'arrivée des héritières, Martin avait escamoté le testament conservé dans le coffre-fort de son patron. De retour chez lui, il avait mélangé ce texte avec une lettre de la baronne, de manière à donner à ces mots un sens favorable.

Venait la partie du complot que Voltaire reprochait le plus à l'inconsciente.

— Votre problème était de faire découvrir votre testament trafiqué, alors que la maison avait été fouillée de fond en comble après le décès. Comment nous mettre sur sa piste ? C'est alors que vous vous êtes souvenue du code d'Istanbul.

Victorine prétendit ne pas voir ce qu'il voulait dire avec son « code d'Ispahan ».

— Allons, ma chère... Je suis sûr que vous avez appris l'existence de ce système en fouinant chez votre oncle feu l'ambassadeur Picon d'Andrezel. Vous avez décidément un don pour faire votre miel des écritures d'autrui. Avez-vous jamais pensé à vous lancer dans l'édition ?

Elle sourit et jeta un coup d'œil circulaire. La porte était close, il n'y avait aucun témoin. La tentation de se vanter la submergea.

— Vous vous trompez sur un point, répondit-elle, ce qui sous-entendait qu'il avait raison sur tous les autres.

Elle raconta comment, réveillée par les râles de la baronne, elle l'avait trouvée qui se tordait de douleur dans son lit – Voltaire supposa que c'était à cause des confitures à la cantharide et au datura. Sur le moment, elle n'avait songé qu'à la secourir. Elle était descendue à la cuisine lui chercher de l'eau de mélisse. À son retour, elle avait eu la surprise de la trouver poignardée. Le plus horrible, c'était que la malheureuse n'était pas morte. Elle avait la respiration sifflante. Qui sait combien de temps elle aurait pu traîner ainsi ? Victorine jura qu'elle n'avait fait qu'abréger ses souffrances en lui plaquant un oreiller sur la figure.

Il lui fit remarquer qu'on avait relevé, à l'autopsie, des traces de strangulation.

— Je me suis peut-être laissé emporter, concéda-t-elle.

Le visage du philosophe n'exprimait aucune compassion. Victorine plissa les yeux comme un chat qui médite un mauvais coup.

— Ainsi, vous avez devant vous une adversaire qui n'est pas à dédaigner, murmura-t-elle d'une voix inquiétante.

L'horreur glaça Voltaire. Si grandes ses ressources d'ironie fussent-elles, le cynisme continuait de le choquer. S'il lui concédait le bénéfice du doute pour ce qui était de sa patronne, il ne pouvait l'absoudre du meurtre de Martin.

Victorine se posa en victime des événements. Le clerc était assoiffé d'argent, il perdait l'esprit, il devenait dangereux. Elle ne s'était pas débarrassée de sa patronne pour s'attacher ce nouveau fil à la patte. Quand il était venu ici faire du scandale, elle avait pris la résolution de le faire taire.

L'idée d'un guet-apens lui était venue le lendemain, alors qu'elle se rendait chez cet avare incontrôlable, quand elle s'était aperçue que Linant la suivait. Ce gros abbé naïf au service d'un impie notoire faisait un coupable idéal. Elle était montée chez Martin, l'avait poignardé, avait attendu dans le noir que l'idiot arrive à son tour. Dans la pénombre, il n'avait pas manqué de trébucher sur le tabouret, de choir sur le cadavre, et s'était enfui couvert de sang, comme elle l'avait prévu.

— Tout aurait réussi sans un grain de sable, dit Voltaire d'une voix sombre.

— Vous voulez parler de votre manie de vous mêler de ce qui vous ne regarde pas ? supposa Mlle de Grandchamp.

— Je veux parler de mon aptitude à réfléchir, à déceler la présence du mal, à lutter contre les mauvais instincts ! Je veux parler de la philosophie !

On frappa à la porte de la soupente. Le valet Beaugeney venait prévenir Mademoiselle qu'un groupe de personnes la demandaient en bas.

Victorine attendit qu'il eût refermé pour plonger ses grands yeux bleus pleins de courroux dans ceux du philosophe, qui, eux, avaient retrouvé leur placidité.

— Vous avez eu grand tort de me dénoncer à la police ! s'écria-t-elle. Vous n'avez pas de preuve ! Je dirai que j'ai agi sur votre ordre !

Un sourire étira légèrement les lèvres de l'écrivain.

— Ma jeune amie, « dénoncer » et « police » sont deux mots qui n'appartiennent pas à mon vocabulaire. Pourquoi s'en remettre à de si vilains expédients quand on peut obtenir le même résultat en faisant une bonne action ?

Elle le regarda sans comprendre. Elle s'attendait au pire, et elle avait raison.

Beaugeney avait prié les visiteurs de bien vouloir patienter dans l'un des salons du rez-de-chaussée. Voltaire et Victorine rejoignirent une poignée de bonnes âmes, animées par la piété et par un ardent désir de faire le bien. Il y avait là quelques révérends pères, l'aumônier de la duchesse d'Orléans et deux religieuses qui portaient le voile de leur congrégation ; des gens beaucoup plus à craindre que la police, de l'avis du philosophe.

L'aumônier ouvrit les paumes vers le ciel en apercevant la jeune femme.

— Mademoiselle ! Réjouissez-vous ! Vous êtes sauvée !

L'intéressée demeura perplexe.

Ému par le désespoir de l'infortunée, que la disparition de sa protectrice jetait dans l'incertitude, le dénuement et tous ces dangers qui guettent les demoiselles sans avenir, Voltaire avait eu un geste de pure bonté : il avait touché un mot de ses misères à la duchesse d'Orléans, leur voisine du Palais-Royal. On ne pouvait abandonner une fille noble qui venait de perdre l'ultime espoir de se voir établie. La duchesse, que son âge et un long veuvage avaient rapprochée de l'Église, avait accepté de la doter pour lui permettre d'entrer dans un couvent de campagne pas trop exigeant.

Mlle de Grandchamp ouvrit des yeux épouvantés. Au lieu de courir remercier sa bonne fée, de louer le ciel et ceux qui lui apportaient cette merveilleuse nouvelle, elle s'en prit à son bienfaiteur, l'accusa d'avoir fomenté un complot et l'assura que sa tante la défendrait.

L'aumônier de la duchesse la détrompa sur ce point. Mme d'Andrezel avait transmis une lettre aux personnes chargées de l'emmener : elle y remerciait vivement la duchesse d'Orléans d'avoir rendu possible cette excellente solution, « la seule digne de cette malheureuse enfant et de sa famille ». Il y avait là un sens caché qui n'échappa nullement à Victorine. De toute évidence, sa tante la soupçonnait d'avoir commandé la fabrication du faux testament, peut-être aussi d'avoir assassiné le clerc qui s'était chargé de ce travail. Elle regardait à présent sa nièce comme un objet d'horreur. La relégation au couvent n'avait d'autre but que de préserver l'honneur des Picon.

La nouvelle nonne se changea en granite tandis que les bons pères félicitaient l'écrivain de s'être entremis pour sa protégée.

— C'est à monsieur que vous devez votre bonheur, dit l'aumônier en désignant Voltaire. Dites-lui combien vous lui en savez gré.

Si modeste que généreux, son ange gardien la dispensa volontiers de lui exprimer la profondeur de sa gratitude :

— Je vous en prie, vous avoir rendu service remplit mon cœur de joie.

Seule la présence de témoins empêcha la future religieuse de lui arracher les yeux.

Ses malles bientôt faites, elle monta en carrosse avec la sobre dignité d'un condamné en route pour l'échafaud. Il était douteux qu'on la revît jamais. Ces couvents écartés et bon marché étaient des trous dont on ne sortait pas. Il s'écoulerait peu de temps avant qu'on ne lui fît prononcer ses vœux, l'Église refusait d'en relever quiconque, et leur fuite condamnait les défroqués à errer aux marges de la société. Voltaire espéra seulement que la supérieure était d'une nature méfiante : on ne pouvait exclure l'éventualité que de fausses écritures et un oreiller ne finissent un jour par faire de la jeune recrue une abbesse.

Il allait être fort dommage de couper ces beaux cheveux roux. Quoi qu'il en soit, Victorine ferait une jolie clarisse. Voltaire dut bien admettre en lui-même que la religion avait du bon, tant qu'elle restait aux mains de gens pétris de bon sens et d'intentions honnêtes ; le tout était de savoir s'en servir. À l'image de toutes les créations humaines, on pouvait l'employer pour le pire comme pour le meilleur.

Il laissa là ses réflexions sur le sens profond du christianisme et s'en fut à la cuisine, ordonner de jeter toutes les confitures qui traînaient dans les placards et de faire bouillir les oreillers.

CHAPITRE VINGT-SIXIÈME

Voltaire répand son amour
sur l'humanité
et n'en reçoit en retour que des gifles.

Tout était enfin pour le mieux dans le meilleur des mondes. Le persécuteur de la baronne était au cimetière, l'étouffeuse factrice de faux, sous la garde de Jésus-Christ. On ignorait seulement pour quelle raison le monte-en-l'air s'en était pris à Mme de Fontaine-Martel, ou qui lui donnait des ordres à travers les morceaux de musique. Ils avaient mis un frein à l'expression du mal, non à sa source. Après tout, saint Michel et les anges n'avaient pas fait mieux.

Ils purent enfin se détendre un peu. Linant avait envie d'aller voir le succès du moment, une tragédie intitulée *Gustave Wasa*, d'Alexis Piron, l'un des principaux concurrents du maître. Émilie appuya vivement cette proposition.

— Vous voulez aller au théâtre ? s'étonna Voltaire. On n'y joue rien de moi. Vous allez vous ennuyer.

Elle répondit que la grossesse était une activité si ennuyeuse en elle-même qu'elle était prête à se jeter dans tous les dérivatifs possibles, y compris celui d'aller voir une pièce qui n'était pas de Voltaire.

On était le 7 mars 1733. Le thème de la tragédie avait été suggéré à son auteur par le *Charles XII* de Voltaire, ouvrage historique qui contait le destin lamentable du roi de Suède ; c'était déjà un outrage en soi. Pire encore, son succès risquait de faire oublier celui de *Zaïre*.

Gustave Wasa n'était certes pas le chef-d'œuvre du siècle, mais les Comédiens-Français étaient au point. La représentation aurait été plus plaisante si le lutin grognon assis à côté de la marquise avait évité de scander chaque tirade d'un soupir d'exaspération. Au quatrième acte, il murmura à l'oreille d'Émilie :

— Vous avez eu la représentation de Piron, vous allez avoir la mienne.

En plein milieu du monologue d'un roi Gustave sur le point de succomber aux aléas de la vie de monarque, il se leva et demeura immobile derrière la rambarde. Une rumeur ne tarda pas à bruire dans la salle. Au bout de quelques instants, plus personne ne prêtait attention aux malheurs de la Suède : tous les regards s'étaient tournés vers le célèbre auteur debout. Et tout le public le vit quitter la salle, suivi de la dame et de l'abbé qui l'accompagnaient. Piron avait commis un crime impardonnable, il avait traité le même sujet que Voltaire, autant dire qu'il le lui avait volé, et les applaudissements aggravaient l'offense. Pareille outrecuidance méritait bien une remontrance publique. Émilie soupçonna son cher ami de n'être venu que pour cela.

— Vous êtes un misanthrope, en fin de compte, dit-elle au sortir du théâtre, ce qui était un bien petit reproche au regard de sa conduite.

— Au contraire ! se récria-t-il. J'adore l'humanité ! Seulement *Qui bene amat bene castigat*[1].

— Oui, *castigat*, surtout. Beaucoup *castigat* !

— Mon amour est en proportion de mes fustigations.

Elle en déduisit que cet amour était immense.

Ils firent quelques pas dans la rue des Fossés-Saint-Germain-des-Prés avec l'espoir que l'air froid contribuerait à le calmer. Ce qui le calma plus vite encore, ce fut de tomber sur le lieutenant général de police, qui avait le don de surgir dans les endroits les plus incongrus, aux pires moments possibles.

Le bras armé de la Justice empoigna Voltaire par le biceps comme un vulgaire voleur de montres.

— Allez, Arouet ! À la Bastille !

Le philosophe s'indigna.

— Mais ! Comment ! Je vous ai attrapé votre assassin ! Je vous ai même épargné la peine d'avoir à le juger et à le rouer ! J'ai fait assez pour mon pays, je crois !

1. « Qui aime bien châtie bien. »

On lui fit observer qu'il avait attrapé un cadavre sur qui pesaient des présomptions et non des preuves.

— Je ne peux pas aller en prison ! J'ai mon *Eriphyle* !

— L'apothicaire du gouverneur vous soignera ça, il a des pommades contre toutes sortes d'eczéma.

— Ce n'est pas une sorte d'eczéma, c'est une sorte de tragédie !

C'était là un point sur lequel tous ses auditeurs étaient d'accord.

Des passants applaudirent le maître, probablement des spectateurs de *Zaïre*.

— Dites-moi, Arouet, dit René Hérault. Je me demande si vous ne suscitez pas tout ce scandale autour de vous pour cacher autre chose. Pour masquer un insidieux travail de sape de la royauté, par exemple.

C'était une figure de style. Son travail de sape n'avait rien d'insidieux. Mais certes, plus on le critiquait, plus on le louait, moins il était facile de l'étrangler discrètement.

Émilie s'interposa. Avec sa robe couverte de pompons, on aurait dit une belette mécontente passant la tête à travers un buisson de roses.

— Monsieur Hérault, j'espère que vous laisserez M. de Voltaire en repos.

— Chère madame du Châtelet, c'est moi qui décide qui je dois laisser en repos.

— M. de Voltaire a besoin de tranquillité pour poursuivre ses réflexions, qui sont d'une haute portée.

— Elles sont précisément la raison de mon intérêt pour sa personne, répliqua Hérault.

Le philosophe s'étant éloigné pour s'asseoir sur une borne, car il était sur le point de défaillir, la marquise mit son interlocuteur en garde. Elle n'aimait pas se livrer au chantage – c'était tellement au-dessous d'elle –, mais il faut parfois faire entorse à ses principes pour la bonne cause, surtout quand la bonne cause s'appelle Voltaire. On lui avait confié, sous le sceau du secret, la triste aventure d'une dame mariée qu'on avait arrêtée et sévèrement condamnée, il y avait trois ans de cela. Elle savait de bonne source que cette femme était la maîtresse d'un certain lieutenant général. Non seulement celui-ci avait eu une liaison avec une criminelle, mais il l'avait laissé enfermer sans sourciller; qu'en dirait le public s'il l'apprenait? Les bien-pensants lui reprocheraient l'adultère, les autres l'abandon.

René Hérault frémit comme s'il avait reçu un coup de badine dans les mollets. Mme du Châtelet venait de le cingler moralement, la souris avait mordu le lion. Son adjoint s'attendit à le voir rugir.

— Vous avez jusqu'à demain soir, articula le lieutenant général d'une voix blanche.

Ils avaient donc vingt-quatre heures pour disculper Voltaire et incriminer le cadavre. S'ils y parvenaient, on promettait de ne plus importuner le philosophe, et même de le protéger dans la mesure du possible, une mesure qui n'était pas très grande, vu le degré de subversion du personnage.

Une fois la dame partie, le subordonné s'étonna :

— Je ne comprends pas, monsieur. Ce problème a été réglé depuis longtemps. Je suis bien placé pour savoir que vous n'avez rien à craindre de ce côté.

Hérault regardait s'éloigner la marquise dans un frou-frou de dentelles et de pompons. Quand elle fut hors de vue, il tourna vers son assistant des yeux dont toute aménité avait disparu. L'homme aux carnets connaissait assez son patron pour saisir le message. Nul ne devait savoir qu'il existait un genre de personne auquel le lieutenant ne pouvait résister. Celui qui ébruiterait sa faiblesse envers les femmes savantes et autoritaires irait faire la police chez les coupeurs de têtes, dans nos comptoirs d'Amérique.

Son secret allait être bien gardé.

Le trio eut du mal à s'éloigner du tourmenteur. Voltaire avait ses vapeurs. Linant l'adossa à une encoignure de porte, il lui tapota la main et tâcha de l'éventer en même temps avec son programme de *Gustave Wasa*. Émilie se permit quelques remontrances envers le cher philosophe :

— Vous êtes sympathique, on vous aime bien, et puis voilà : vous écrivez un livre, vous gâchez tout !

— Vous m'en voyez navré, glapit l'écrivain.

Il se sentait mal. L'injustice lui tordait l'estomac. Il vacilla, Linant dut le soutenir.

— Je me meurs, je suis mort, portez-moi dans ma tombe !

Émilie secoua vigoureusement le moribond par son bras libre, ce qui ne correspondait pas du tout à la sollicitude espérée.

— Ce n'est pas le moment de mourir ! Vous ne voulez pas croupir sur un grabat à la Bastille !

Il poussa un râle.

— Allez ! reprit la marquise. Au travail !

— Je n'aime pas recevoir des ordres, même de moi-même, parvint à prononcer le martyr, qui n'avait presque plus d'énergie, ni pour la révolte, ni pour l'indignation.

On le traîna jusqu'à l'hôtel de Fontaine-Martel, où il fallut le porter à son étage comme un paquet inerte. Comme Émilie barrait l'accès au lit, l'abbé le fit asseoir dans son fauteuil. Voltaire parut vouloir y installer son agonie. Mme du Châtelet fulminait.

— Levez-vous donc ! Vous finirez par laisser votre nom à ce meuble !

— Cela sera toujours mieux qu'un bourdalou[1]. Quelqu'un me veut du mal.

— Oui. Cessez d'écrire.

— Souhaiteriez-vous ma mort ?

— Je laisse cela à vos lecteurs.

---

1. Pot de chambre portatif surnommé ainsi par moquerie envers le prédicateur Bourdaloue (1632-1704), dont les sermons étaient interminables.

Prêt à toutes les flatteries pour ne pas avoir à préparer une nouvelle cohorte de tisanes et de lavements, Linant se lança dans un éloge de la marquise et engagea l'écrivain à suivre ses recommandations : elle était d'un caractère volontaire, était passée maître dans plusieurs sciences et techniques, férue de latin, capable de garder les plus grands secrets... Autant dire qu'il voyait en elle un mélange de conquérant viking, de vénérable du Grand Orient et d'académicien chenu. Voltaire en fut un peu rasséréné.

— Je suis content d'avoir rencontré un homme tel que vous, dit-il à la marquise, dont il baisa le bout des doigts.

Ils devisèrent de choses et d'autres pour lui laisser le temps de reprendre vie, après quoi l'écrivain déclara :

— À présent que nous avons bien raisonné sur des sujets importants, poursuivons les criminels !

Il en tenait toujours pour le complot religieux. Parmi tous ceux qui lui voulaient du mal, les jansénistes étaient les pires. Pour tirer cela au clair, il leur fallait un émissaire susceptible d'aller fourrer son nez dans le camp adverse ; quelqu'un d'assez ferré sur les choses pieuses, mais qu'on ne reconnaîtrait pas ; quelqu'un dont la figure innocente, insoupçonnable, lui permettrait de s'infiltrer chez ces illuminés que leur furie portait à l'assassinat.

Un silence se fit.

— Je ne vois pas du tout qui vous pourrez trouver, dit l'abbé Linant.

CHAPITRE VINGT-SEPTIÈME

Tandis que des abbés se font fesser,
Voltaire fait le bonheur du monde
au nom de Socrate.

Michel Linant se dirigeait vers l'enclos Sainte-Marguerite en bénissant le nom de l'écrivain qui l'envoyait espionner ses frères en confession, mais seulement parce qu'on avait bien ancré dans son esprit que maudire les gens était un grave péché. Le nom de cet homme lui trottait dans la tête sans qu'il parvînt à l'en chasser, ce qui valait toujours mieux que de réfléchir au risque qu'il prenait en se livrant pieds et poings liés à une communauté d'excommuniés capables de tout.

Il s'arrêta à vingt pas d'une maison discrète située devant le cimetière. Des gens entraient les uns après les autres en dissimulant leur visage derrière leur col. Comme ils avaient pris l'habitude d'envahir les lieux d'inhumation pour se rouler sur les tombes en invoquant le Seigneur, le lieutenant général de police avait fait dissoudre leur confrérie. Hérault avait bâti sa réputation sur cette répression, il n'était pas question de les laisser reconstituer leur faction, du moins sous les yeux des Parisiens.

Il n'y avait pas de secret capable de nuire à ses ennemis dont Voltaire ne pût s'informer. Il lui avait fallu une heure à peine pour se procurer l'adresse de la conférence et le mot de passe exigé à l'entrée. Le gros Linant bénit encore une fois son protecteur, remit son âme à Dieu et s'avança vers la lourde porte. Il toqua, le volet s'ouvrit.

— Pour le retour du prophète Élie, murmura-t-il, aussi honteux que s'il disait un gros mot.

— Entrez, mon frère.

Il pénétra dans une vaste salle très dépouillée, dont la principale décoration célébrait le diacre Pâris, le dernier saint de leur mouvement. Sa sépulture à Saint-Médard avait été le lieu de ralliement des convulsionnaires, jusqu'au jour où Hérault avait fait fermer ce cimetière sous prétexte d'exhibitions indécentes. Linant reconnut Mme d'Estaing, debout au premier rang. Quand l'heure eut sonné, quelques fidèles vinrent raconter les visions divines qu'ils avaient eues en rêve. Le premier relata comment, au cours d'une promenade dans le jardin d'Éden, Dieu lui avait remis la liste des mécréants promis à l'enfer, où figurait le pape. Les propos de ceux qui suivirent ne furent qu'une suite de phrases incompréhensibles à qui n'avait pas été touché par la grâce, et peut-être aussi aux autres.

Le clou de la soirée consista en une longue séance de convulsions et de bastonnade. Les convulsionnaires se tordaient sur le sol en suppliant les témoins de les secourir, ce dont ceux-ci s'acquittaient en tirant sur leurs membres de toutes leurs forces, en leur appliquant des coups de bûche ou en leur enfonçant des pointes dans le corps jusqu'à les faire saigner. D'autres se faisaient lier à des croix, la tête en bas, comme l'apôtre saint Pierre, afin de commémorer les souffrances des vrais chrétiens.

La comtesse d'Estaing, « notre sœur Henriette », n'était pas la moins enthousiaste. Elle qui n'aurait pas laissé un valet lui frôler la main se faisait fesser à qui mieux mieux au nom de l'Église idéale définie par Jansénius.

Horrifié, Linant passa dans une pièce attenante, à l'atmosphère plus calme. On s'y reposait sur des tabourets, quand on pouvait encore s'asseoir, et l'on se passait des linges humides sur les jambes, le cou, les bras et la figure. Dans un angle, certains se faisaient tatouer des dessins issus de leurs visions : des figures géométriques, des points, des traits mystérieux.

La police ne pouvait guère ignorer ce qui se passait ici. Peut-être tolérait-on ces séances tant qu'elles ne faisaient pas scandale. Le jeune abbé espéra qu'il n'allait pas finir au Châtelet après une descente de gendarmerie encore plus brutale.

Un monsieur venu soigner son postérieur se mit à dévisager Linant, qui se crut découvert. Il se voyait déjà fessé à mort, puis livré aux chiens parmi les tombes de Sainte-Marguerite.

— Vous êtes nouveau, n'est-ce pas? dit l'homme.

Linant répondit qu'il avait l'habitude de se faire fesser en province. On parla de « sœur Henriette »; l'abbé fit observer qu'elle se donnait à fond pour le Seigneur.

— Et encore! dit le monsieur à l'arrière-train écarlate. Aujourd'hui, elle est un peu déboussolée. D'habitude, son secrétaire et elle font l'animation de la soirée.

Linant s'étonna qu'elle fût seule. Son employé avait-il quitté la communauté?

— Dieu ne permet pas qu'aucun d'entre nous s'éloigne de la Lumière! Il aimerait mieux nous ôter de ce bas monde!

L'abbé déglutit péniblement. Son nouvel ami lui expliqua que le serviteur de sœur Henriette était un personnage exceptionnel, dévoué, qui partageait leurs convictions à un degré sans égal. Tout le monde ici connaissait son destin extraordinaire : elle avait recueilli ce malheureux alors qu'il était dans la plus grande détresse, tant d'esprit que de chair. Elle l'avait retiré des griffes du diable. Depuis lors, il lui servait de cocher, de factotum, et se serait laissé tuer pour elle.

Linant se demanda si ce n'était pas précisément ce qui était arrivé. On donna en exemple quelques actions du secrétaire qui lui parurent relever de la plus inquiétante excentricité.

— Il était dérangé, laissa-il échapper.

Son interlocuteur ne se formalisa pas de la remarque. C'était, selon lui, un signe de l'immensité de la grâce que d'avoir pénétré un esprit abîmé par les épreuves. L'abbé se dit, en son for intérieur cette fois, qu'ils étaient, à ce compte-là, une assemblée de saints digne d'un synode.

Restait à savoir si ces élus de Dieu méditaient d'assassiner Voltaire. Il tâta son interlocuteur sur le terrain des philosophes et de l'éventualité d'en débarrasser le royaume manu militari. On lui parut bien mou sur la question. Les tenants de la vraie foi et des coups de bâton manquaient d'un bras armé à un point qui était presque décevant. Côté complot, il ne put rien établir de bien clair. On citait le nom de Voltaire comme celui de Satan et de Lucifer, mais Linant connaissait maints curés très respectueux de la doctrine romaine qui en usaient de même, et il était de moins en moins éloigné de penser comme eux.

Deuxième source de douleur pour le gros abbé, on fit passer le chapeau pour les œuvres de la communauté, principalement le soutien à ses membres injustement persécutés par une police amorale qui les accusait de pratiques sacrilèges, alors que les ministres de Sa Majesté se faisaient les complices des impies ou de Rome.

Ces gens aimaient Dieu jusqu'à faire peur. Linant imagina ce que deviendrait la sainte messe si leurs principes triomphaient ; on n'oserait plus y emmener les petits enfants.

Il décida de gagner discrètement la sortie avant qu'on ne s'étonnât de ne pas le voir se tortiller par terre entre deux rangées de fouetteurs à la face rougeaude. Il avait beau être rembourré de bonne graisse de tous les côtés de son anatomie, il n'était pas sûr que son embonpoint suffît à amortir les coups de trique et n'avait aucune envie de le vérifier.

Nos enquêteurs attendirent le lendemain pour débattre, autour d'une tasse de thé, des renseignements glanés à si grands risques par ce bon Linant. Ils n'avaient plus que cette seule journée pour fournir à René Hérault la preuve qu'il réclamait. L'ombre de la Bastille recouvrait de plus en plus l'hôtel de Fontaine-Martel.

Voltaire avait très mal dormi. Il était tellement accablé qu'il n'avait même plus le courage d'écrire des vers. Ses deux commensaux levèrent leurs tasses d'un même mouvement pour dissimuler la profondeur de leur affliction.

Mme du Châtelet était maintenant si ostensiblement enceinte qu'on s'étonnait, chaque fois qu'on la voyait, qu'elle n'eût pas accouché pendant qu'on avait le dos tourné. Elle regretta de n'être pas allée enquêter chez les jansénistes, dont les coups de martinet auraient peut-être accéléré le processus. La remarque suscita en M. l'abbé l'affreux soupçon que cette femme pouvait n'avoir pas la maternité chevillée au corps.

On mit en liste les renseignements dont on disposait : Mme d'Estaing avait perdu son homme à tout faire, c'était un malheureux qu'elle avait recueilli par charité et il avait l'air bizarre. Où pouvait-on obtenir des informations sur ce genre de personnage ?

— Aux Petites Maisons ! s'écria Voltaire. La comtesse y répand ses bontés à un rythme hebdomadaire !

La piste de l'assassin les conduisait décidément dans les lieux les plus agréables de la capitale. Voltaire vit bien que Linant était sur le point de rendre son tablier, quitte à postuler pour une place de frère marmiton dans un monastère. On ne pouvait pas non plus, en toute décence, demander à la marquise, dans son état, de retourner frotter ses semelles dans un hôpital probablement fréquenté par tout un tas de gens malsains. L'écrivain se chargea donc d'aller visiter l'asile en personne. Après tout, en tant qu'expert de la raison, il était tout indiqué pour enquêter chez ceux qui l'avaient perdue.

Afin de multiplier leurs chances de succès, Émilie décida de suivre une autre piste, celle des indices du cabinet de curiosités. Elle laissa l'abbé finir la collation tout seul et alla se distraire parmi les chiffres et les momies.

Au guichet des Petites Maisons, le concierge fut prié de prévenir la direction qu'un grand personnage était là. Survint un administrateur très ému, qui se préparait à multiplier les courbettes devant un prince du sang ou Mgr l'évêque en personne.

Le sous-directeur de service tomba sur un petit bonhomme dont la longue perruque brune encadrait un sourire ravi. Par chance, le succès théâtral de la saison précédente avait inscrit le nom de Voltaire dans la mémoire de tous les amateurs de spectacles, presque aussi nombreux que les pieuses personnes de qui il était connu jusqu'alors pour des raisons moins flatteuses. Le célèbre auteur dramatique avait l'amabilité de s'intéresser à leur établissement de charité. On supposa que c'était dans le cadre de quelque pièce nouvelle sur une folle de l'Antiquité ou du Moyen Âge, afin de composer un équivalent français de lady Macbeth ou d'Ophélie.

— Point du tout ! Le ciel me préserve d'écrire des atrocités aussi calamiteuses que ce pauvre Shakespeare ! s'écria l'écrivain, blessé de la comparaison. Et pourquoi pas *Le Roi Lear*, tant qu'on y est ? Un vieillard sénile qui se fait crever les yeux sur scène ! Mes héroïnes à moi sont toutes jeunes et gracieuses, elles pratiquent le beau langage, même quand elles ne sont qu'esclaves ou…

Aucun autre métier ne lui vint à l'esprit. Elles étaient toutes esclaves. Elles attendaient qu'un preux chevalier vînt les sauver des mains des Sarrasins, des prêtres d'Apollon ou des Huns, mais en vain, car seule une catastrophe seyait à un style élégant.

La folle qui l'intéressait, c'était Mme d'Estaing. Il s'abstint d'employer ce terme à son propos, et il fit bien, car la comtesse avait en ces lieux une réputation équivalente à celle de saint Hermès, patron des déséquilibrés.

On lui confirma volontiers que cette bienheureuse avait poussé la charité jusqu'à recueillir, quatre ans plus tôt, un pensionnaire qui l'idolâtrait. Cet homme avait eu l'habitude de la suivre à travers l'établissement, à genoux, en baisant le bas de sa robe, en psalmodiant des prières, ce qui était certainement une bonne façon de convaincre une femme de vous ramener chez elle.

Depuis qu'elle l'avait pris à son service, il allait beaucoup mieux. Il revenait régulièrement ici dans son sillage, car il ne la quittait guère. Il était propre à tout. C'était, aux yeux du sous-directeur, une étrange reconversion pour un musicien d'église.

— Un musicien d'église ! répéta Voltaire.

Les Feuillants de Paris l'avaient chassé de leur communauté parce qu'ils le jugeaient trop exalté. Il avait erré de par les rues pendant une année, jusqu'à ce que l'évêché le fasse conduire aux Petites Maisons par charité envers un ancien moine. Depuis plusieurs jours, cependant, la comtesse venait seule.

Voltaire fut enchanté de ces nouvelles. Il tenait son assassin.

De son côté, le sous-directeur fut touché de voir que des gens à la mode tels que ce brillant auteur, qui vivaient sûrement dans les mondanités et la frivolité, étaient susceptibles de se pencher sur les infirmités de personnes moins bien loties qu'eux.

— Pauvre homme, dit-il en songeant à son ancien pensionnaire. J'espère qu'il n'a pas rechuté dans ses erreurs.

— Rassurez-vous, tout va bien, dit Voltaire : il est mort.

La disparition d'un janséniste fou attaché à sa perte – ne l'étaient-il pas tous ? – le remplissait d'allégresse. Il oublia qu'il était pauvre, ruiné, sans logis, et s'autorisa un don substantiel pour les soins des nécessiteux.

Emporté par son altruisme, alors qu'on le reconduisait à travers la cour, il jeta des poignées de piécettes aux miséreux en criant : « Vive Socrate ! Vive Platon ! »

Il importait de montrer que les philosophes savaient être généreux aussi bien que les comtesses illuminées.

Avant de quitter le guichet de l'établissement, il se fit donner de quoi écrire et rédigea un mot à l'intention de M. Hérault. Il lui annonçait qu'il connaissait le nom et l'adresse de son assassin : un fou, chez une folle.

CHAPITRE VINGT-HUITIÈME

La marquise du Châtelet
résout une énigme et s'en trouve
plus interloquée qu'auparavant.

Pendant ce temps, Émilie cherchait à découvrir la signification des chiffres 050996 inscrits sur la plaque de verre de la lanterne magique. Cette suite numérique l'obsédait – elle avait une propension naturelle à se laisser hanter par les mathématiques. Ayant décrypté avec brio un code alphabétique, elle acceptait mal l'idée de voir une numération lui résister. Après l'avoir retournée dans tous les sens une heure durant, elle dut bien admettre qu'elle s'y cassait les dents.

Elle était d'accord avec les philosophes péripatéticiens : si la solution se refuse à vous quand vous êtes assis, réfléchissez debout. Elle enfila manteau, chapeau, gants, et quitta l'hôtel de Fontaine-Martel pour aller consulter quelques spécialistes qui, peut-être, sauraient l'éclairer.

Une heure plus tard, elle avait promené ses chiffres dans tous les couloirs du Louvre, là où siégeait l'Institut, sans résultat. Voltaire était déjà passé le mois précédent avec ses lettres à faire analyser ; on indiqua à la marquise qu'on ne se faisait pas élire à l'Académie des sciences pour participer aux jeux de société à la mode.

Elle rencontra le mathématicien Maupertuis. Il avait trente-quatre ans, était brillant, bien fait, avait un petit air canaille de fils de corsaire malouin anobli par Louis XIV. Il lui plut immédiatement. C'était contrariant. Elle n'était pas encore devenue la maîtresse de Voltaire qu'elle le trompait déjà en idée avec un savant. Sa passion pour les grands esprits ne lui rendait pas la vie commode.

Maupertuis, qu'elle dérangeait, était occupé à refaire les calculs par lesquels Newton avait démontré que la terre est un globe aplati aux deux pôles. Elle le tira de ses équations pour lui soumettre sa petite devinette, ce que, bizarrement, son interlocuteur jugea un peu cavalier. Il se pencha néanmoins sur les chiffres. La première solution qu'il lui proposa fut : « Soupez avec moi. »

— C'est donc là ce qu'ils veulent dire ?

— Non, c'est ce que je veux vous dire, moi : soupez avec moi.

Bien qu'elle le trouvât fort à son goût, elle estima l'invitation prématurée et ne prit pas de chiffres pour le lui signifier. Il existait apparemment des hommes que l'état de grossesse avancée ne rebutait pas. Elle ne s'en serait pas doutée, n'ayant pas vu reparaître son époux depuis qu'il avait appris la bonne nouvelle ; les batailles polonaises du roi de France l'avaient subitement absorbé plus que jamais.

La marquise réorienta Maupertuis vers un mystère qui, ces jours-ci, l'occupait davantage que la bagatelle, fût-elle teintée d'astronomie et de physique. L'homme de science, qui était dans des dispositions exactement inverses, y mit tant de mauvaise volonté qu'il ne trouva rien du tout. Elle le quitta fort déçue par l'efficacité des mathématiques modernes.

Une fois dehors, sa première intention fut de regagner sa voiture. Elle chercha des yeux les festons verts et les deux chevaux bais de son carrosse. Puis elle se souvint qu'elle l'avait renvoyé parce qu'il n'y avait pas de place. Heureusement, un fiacre attendait à deux pas de là.

Elle venait de faire signe au cocher quand son regard tomba sur la plaque d'immatriculation. Ces inscriptions avaient été imposées par Hérault afin de sanctionner les indélicats qui écrasaient les gens sur leur passage. Elle se figea en découvrant la suite de chiffres. Puis elle leva les yeux vers le cocher et vit qu'il la contemplait sous son vieux tricorne élimé que le temps et la pluie avaient rendu grisâtre. Ses traits lui rappelèrent vaguement quelqu'un. Lui-même la regardait avec une fixité inconvenante qui la mit mal à l'aise.

La mémoire revint à la marquise, une fois assise à l'intérieur, alors qu'il levait son fouet. Hélas, il était trop tard.

De son côté, plutôt que de suivre des pistes criminelles, Linant avait suivi celle des sucreries, un chemin bien plus tranquille. Cette piste ne s'était pas révélée moins satisfaisante, ce qui démontra une fois de plus au jeune abbé que la difficulté n'est pas toujours la condition de la réussite, véritable maxime de toute sa vie.

Il découvrit une boîte remplie de vieux biscuits tout secs que personne, sinon un affamé insatiable, n'aurait songé à aller remuer. Alors qu'il fouillait à l'intérieur pour voir si ceux du fond n'avaient pas conservé un reste de fraîcheur, il découvrit, tout en bas, quelque chose d'encore plus sec et de moins digeste. C'était un nouvel extrait de la correspondance de la baronne qui ne semblait pas destiné à des yeux étrangers. Linant se félicita d'avoir de la lecture pendant qu'il ferait tremper ses rogatons dans un peu de lait pour les rendre comestibles. Il se dit qu'il y avait là une idée à développer : des boîtes de gâteaux avec des choses à lire dedans, l'alliance parfaite de l'estomac et de la littérature, de quoi se remplir le ventre – beaucoup – et la tête – un peu.

Le sujet de la lettre était mal choisi, sa lecture lui coupa l'appétit.

— Par saint Joseph ! répéta-t-il comme il reprenait au début pour s'assurer qu'il avait bien compris.

Tous les charognards le savent : il convient de se repaître en silence, faute de quoi on alerte des carnassiers plus gros que soi. Ses exclamations attirèrent le valet Beaugeney, dont l'activité favorite consistait à rôder dans les corridors. Beaugeney glissa un œil par l'entrebâillement de la porte et vit le gros abbé, blême d'horreur, penché sur un papier couvert de miettes.

— Rendez-moi ça ! s'écria-t-il. Ce n'est pas à vous !

Linant sauta de sa chaise, cacha d'une main la lettre dans son dos et, de l'autre, empoigna la boîte aux biscuits.

— Ce document n'est pas pour vous ! déclara-t-il. Je vais le remettre à M. de Voltaire !

Le valet aurait pu rétorquer que l'écrivain n'était pas plus concerné que lui, mais il préféra se saisir d'un objet contondant.

Voltaire longeait à pied la rue des Bons-Enfants tout en réfléchissant au brio avec lequel il avait résolu cette sinistre affaire. De sa visite aux Petites Maisons, il concluait que c'était la comtesse d'Estaing qui jouait du pipeau et des timbales pour le faire tuer – et qu'elle avait donc fait mourir sa propre mère par ce moyen ! Restait à savoir quel motif l'avait poussée au matricide. Il pouvait fort bien comprendre qu'on eût envie d'assassiner sa baronne, mais si elle avait été sa mère, il aurait hésité. L'envie d'hériter avait-elle été trop forte ? La soif de vengeance ? Un différend d'ordre privé ? Mme d'Estaing avait paru prendre ses déconvenues avec trop de tranquillité pour qu'il vît là le moteur de semblables fureurs.

De retour à l'hôtel de Fontaine-Martel, il se débarrassa de son manteau, de ses gants fourrés et de sa canne, sans prêter attention au vacarme environnant, sans quoi il aurait certainement conservé ce dernier objet.

— Linant ? lança-t-il à la cantonade. Je rentre des Petites Maisons ! On devrait toujours aller faire un tour chez les fous pour savourer le bien-être dont on jouit chez soi !

Par la porte du salon, il vit passer deux énergumènes qui se poursuivaient à travers les pièces, chacun armé d'une louche en métal. Perplexe, il tendit la main vers sa canne à bec d'argent. Au deuxième passage, Linant l'appela à l'aide et courut se poster derrière lui, ce que l'écrivain eût préféré qu'il ne fît pas. La vivante muraille se trouva face à Beaugeney, qui brandissait son ustensile avec toute l'aménité d'un Turc au siège de Jérusalem, celui de 1187, dont la chrétienté ne s'était pas remise.

— Que lui avez-vous fait ? reprocha-t-il au jeune abbé. Je sais qu'il n'est pas plaisant, raison de plus pour ne pas le provoquer !

Il était moins plaisant encore avec sa tige de métal au poing.

— Allons, messieurs, nous n'allons pas nous disputer comme de vulgaires aristotéliciens ! plaida l'écrivain.

— Il ne veut pas que je vous donne la lettre de la baronne ! s'écria le gros abbé en désignant d'un doigt tremblant le furieux à la face congestionnée qui les menaçait.

Voltaire s'empourpra à son tour.

— Monsieur, dit-il à l'apprenti censeur, sachez que même la police du roi n'a jamais réussi à m'empêcher de lire mon courrier !

Beaugeney rétorqua que cette lettre n'était pas pour lui, qu'elle était pour une personne très comme il faut, que cette personne avait déjà versé un acompte pour s'en assurer la possession exclusive.

Voltaire fouilla dans sa poche, dont il tira un petit porte-monnaie au contenu déjà bien écorné par ses largesses des Petites Maisons.

— Si cette personne s'est montrée généreuse, je peux l'être aussi. Combien vous a-t-on promis ? Cent sous ? Un écu ?

— Dix mille livres tournois, répondit le valet, l'œil noir et la mine assassine.

Voltaire suspendit son geste, referma sa petite bourse et pria Linant de bien vouloir assommer le larron.

Dix mille livres tournois n'étaient pas une somme à laquelle un valet allait renoncer pour faire plaisir à un penseur, celui-ci se nommât-il Voltaire. Puisque ceux qui prétendaient l'en priver ne cédaient pas et que l'argument de la louche s'émoussait, il posa l'instrument sur une commode et ouvrit un tiroir dont il sortit une boîte oblongue.

— Joli coffret, dit Voltaire. Croyez-vous que Mlle de Clère me laisserait l'emporter en souvenir de sa bienfaitrice ?

Beaugeney dégagea de leur étui les pistolets de la baronne.

Ces armes avaient été prévues pour repousser les cambrioleurs, elles pouvaient aussi bien servir contre les empêcheurs de profiter en paix. C'était le moment de mesurer de quel poids pesait la philosophie contre une paire de pistolets chargés. Deux pistolets, c'était deux balles, une pour chacun des futurs cadavres qui s'interposaient entre la lettre et le valet. Beaugeney, qui faisait ses comptes à haute voix, se demanda si sa commanditaire ne lui verserait pas un extra pour la mort d'un impie et d'un abbé dévoyé.

Linant protesta : il n'était pas dévoyé, il n'était là que parce qu'on le nourrissait. Voltaire poussa un soupir.

Beaugeney avait tout à fait l'air d'être sur le point de tirer quand un grand gaillard vêtu d'un ample manteau de pluie ouvrit la porte à la volée et lui sauta sur le poil sans lui laisser le temps de recompter ses balles. Émilie suivait en soufflant un peu, elle parvint dans le vestibule tandis que le valet s'effondrait sans connaissance sur le carrelage blanc et noir.

Le cocher venait de sauver Voltaire. Cette moustache touffue n'était pas inconnue au philosophe.

La servante et la cuisinière, qui s'étaient cachées dans les communs pendant tout ce remue-ménage, quittèrent leur abri pour venir voir s'il restait quelqu'un de vivant.

— Que lui est-il donc arrivé? dit l'une d'elles en découvrant Beaugeney étendu sur le sol.

— Il a manqué de repartie devant les arguments nécessaires et suffisants de deux poings sur son crâne, expliqua Voltaire.

Le personnel aida Linant à transporter le blessé sur un sofa, tandis que Voltaire et la marquise entraînaient le héros dans un salon pour une petite explication. L'écrivain et sa muse prirent place dans les bergères, le cocher resta debout, le chapeau à la main, comme il seyait à un subalterne, sauveur providentiel ou non.

C'était un homme d'un peu moins de soixante ans, mais bâti comme un portefaix. Il expliqua qu'il surveillait Mme d'Estaing depuis des mois. Émilie se souvenait l'avoir vu sur le siège de tous les fiacres qu'ils avaient empruntés ces dernières semaines, y compris celui qui les avait ramenés à la civilisation après leur bain forcé dans la Seine. C'était cet homme qui les avait retirés du fleuve avant de disparaître sans réclamer de récompense, une attitude si philosophique qu'elle arrachait encore à Voltaire des larmes d'admiration. La marquise avait été trop choquée pour l'examiner de près, il lui avait fallu un bon moment pour faire le lien.

Émilie n'avait pas eu le temps d'éclaircir les détails de l'intrigue avant de le conduire chez la Fontaine-Martel. Elle supposait que ce cocher appartenait à la police, ou peut-être à quelque mouvement charitable qui s'était donné pour mission de protéger d'eux-mêmes les imbéciles, une sorte de milice philosophique.

Voltaire était en train de parcourir la lettre de la baronne que Linant lui avait remise. Sans lever le nez, il répondit qu'elle n'y était pas.

— M. Chapit, je présume ? dit-il au cocher.

Celui-ci opina du chef.

Émilie n'y comprenait plus rien. Si ce M. Chapit n'était ni policier ni philosophe, elle ne voyait pas ce qu'il leur voulait.

— Quand vous aurez lu ce papier, vous comprendrez, dit Voltaire.

Une fois la lettre lue, Émilie posa sur leur sauveur un regard neuf, presque amusé, tandis que le grand bonhomme tortillait son tricorne entre ses gros doigts d'un air gêné. Elle se leva et annonça qu'elle était au regret de devoir les quitter : elle désirait rentrer chez elle, et, cette fois, elle espérait bien que ce serait pour accoucher.

Pour se remettre de ses émotions, Linant s'était laissé tomber sur les alcools. Il trinqua avec le cocher, à la santé des valets brutaux et des comtesses fourbes. Voltaire, pour sa part, était en plein exercice de récapitulation.

Tout s'éclairait. Il restait un peu de temps pour conclure cette journée en beauté. Il écrivit un mot à porter chez sa destinataire et remit de l'ordre à sa toilette, ainsi qu'il convenait pour recevoir une dame de qualité.

CHAPITRE VINGT-NEUVIÈME

La noblesse : en être ou pas.

La cloche tinta et Mme d'Estaing fit une apparition d'impératrice douairière en grand deuil, robe, calot et voilette noirs. La servante la débarrassait d'une partie de ce matériel lorsque Voltaire vint à sa rencontre. La veuve était aussi glacée et nerveuse qu'un torrent de montagne.

— Vous me parliez, dans votre message, d'un document qu'on aurait retrouvé? dit-elle en guise de salutations.

Le protégé de sa mère lui annonça avec gaieté que la succession serait bientôt close : on savait enfin avec certitude qui était l'héritière.

La vivante image de la douleur filiale garda un silence indifférent. Voltaire déclara qu'il s'agissait de sa cousine éloignée, la jeune demoiselle de Clère.

Aucune réaction n'accueillit ces mots.

— Je vous remercie de cette communication, finit par répondre la comtesse avant de faire signe à la servante qu'on pouvait lui rendre son chapeau.

— Il y a aussi la question de la lettre, bien sûr, ajouta le philosophe.

Mme d'Estaing s'immobilisa, se retourna et fixa sur lui ses yeux de panthère agacée par une mouche.

— Cette lettre que vous convoitiez bien plus qu'un testament vrai ou faux, reprit Voltaire.

— Je ne vois pas du tout de quoi vous parlez, dit la d'Estaing.

Elle ne fit cependant, cette fois, aucun mouvement vers la sortie.

— Vous comprendrez mieux devant une tasse de thé, dit Voltaire en l'invitant à le précéder dans le salon.

La visiteuse passa devant lui en glissant sur d'invisibles roulettes. Il eut l'impression de suivre l'imposante et hiératique statue du Commandeur de *Don Juan*.

Une fois installés dans les confortables fauteuils de la baronne, l'écrivain énuméra les indices qui l'avaient conduit à cette conclusion. Certains figuraient sur les plaques de verre de la lanterne magique découverte dans le cabinet de curiosités.

— Découverte en mettant à sac les possessions de ma défunte mère, commenta la comtesse.

— Découverte en tâchant de servir la mémoire de votre chère maman, oui, rectifia l'écrivain.

De l'étude minutieuse des plaques – blason des Martel, façade du Palais-Royal –, il avait déduit qu'elles montraient les ébats de la baronne à la cour du duc d'Orléans, frère de Louis XIV. Ce qui était gênant, c'était les chiffres : 050996. Il savait à présent qu'ils indiquaient une date, le 5 septembre 1696. À cette époque, Henri de Fontaine-Martel, déjà âgé, goutteux, vivait retiré sur ses terres de Normandie. Ce n'était donc pas en sa compagnie que la baronne prenait du bon temps.

— Vous êtes outrecuidant, lâcha la comtesse.

— Aussi ne pousserai-je pas l'outrecuidance jusqu'à vous demander votre date de naissance, dit Voltaire.

En fait, il venait de la lui dire. En septembre 1696, la baronne avait donné naissance à sa fille unique. M. de Fontaine-Martel avait eu la bonté d'endosser la paternité, d'autant que c'était sa femme qui faisait vivre le ménage. Il n'aurait rien gagné à un scandale ni à une séparation de corps et, donc, de fortunes. Il était mort dix ans plus tard, peut-être sans avoir jamais vu l'enfant.

La comtesse se taisait, elle tâchait de mesurer l'étendue du désastre. Sans montrer aucune émotion, elle gravissait intérieurement son Golgotha.

— Et puis il y avait la lettre, dit Voltaire en indiquant l'extrémité d'un feuillet qui dépassait d'une de ses poches. La lettre de la baronne, cette confession dans laquelle elle évoque son aventure avec un homme plus jeune qu'elle. Un homme dont la présence au Palais-Royal avait de quoi provoquer le scandale ou, pire, la raillerie.

— Je jure que si vous dites ce qu'il y faisait je vous défigure de mes propres mains ! le menaça la comtesse.

De la part d'une femme qui avait fait poignarder sa mère, l'avertissement n'était pas à sous-estimer. Voltaire se garda donc bien de mentionner la profession du géniteur, bien qu'il eût le mot sur le bout de la langue. Il laissa de côté la raison pour laquelle un garçon d'à peine vingt ans se trouvait à la cour du prince et se concentra sur son identité.

Les chiffres, encore eux, les avaient conduits jusqu'à un postillon qui semblait beaucoup s'intéresser à la visiteuse. Les numéros peints sur sa plaque professionnelle étaient les mêmes que ceux de la lanterne magique ; des numéros fétiches, en quelque sorte.

— C'était cela, le remords qui hantait votre mère, conclut Voltaire.

La baronne avait conçu son seul enfant avec un rien du tout. Moins qu'un domestique. Un homme sans nom, dont la meilleure action avait été de si bien disparaître qu'on n'avait jamais entendu parler de lui. C'était le plus grand service qu'il eût rendu à sa fille, hormis, peut-être, celui de lui avoir donné la vie.

Tout cela n'aurait été que regrettable sans cette vague de crimes. Voltaire vit bien que, sous son vernis d'impassibilité, la comtesse était dévastée. Il eut pitié d'elle et changea de sujet.

— Votre homme à tout faire était un dément sanguinaire ! déclara-t-il.

— Vraiment ? dit Mme d'Estaing. Qui l'eût cru ! À qui se fier, je vous le demande.

Voltaire admit qu'il était de plus en plus difficile de trouver du personnel. Ils avaient eux-mêmes, dans cette maison, un valet tout à fait insupportable, à la moralité douteuse : cet homme avait subtilisé une lettre très importante et la cachait dans un pot de biscuits rassis en attendant de la vendre.

Un voile passa sur les yeux de la comtesse.

— Je savais que vous étiez le diable, dit-elle.

— Du moins n'ai-je pas tué ma mère.

Elle bondit hors de son fauteuil, il crut qu'elle allait mettre sa menace à exécution.

— Je n'ai pas tué ma mère ! C'est mal, de tuer !

— C'est pourquoi vous avez poussé quelqu'un à le faire à votre place. Vous faites preuve d'une grande subtilité. Vous auriez dû vous intéresser à la philosophie, plutôt que de perdre vos talents chez les fesseurs de Sainte-Marguerite.

La comtesse jura que jamais l'ordre fatal n'avait franchi ses lèvres : il flottait en l'air, descendait du ciel avec cette musique céleste que son cocher exalté révérait presque autant que Jésus. Peut-être n'aurait-il pas accepté de commettre de telles horreurs si le ciel ne le lui avait ordonné.

— Vous avez poussé un dément à poignarder des gens ! dit Voltaire. Vous avez condamné d'innocentes personnes à une fin sinistre ! Mais votre plus grand crime, c'est...

La comtesse se laissa tomber dans la bergère.

— Je me repens d'avoir fait tuer ma mère ! dit-elle. Même si elle s'est très mal conduite à mon égard !

Voltaire soupira.

— Madame, je vous plains. Je sais comme il est pénible de n'être pas élevé par son véritable père. Moi-même, je suis le fils adultérin d'un noble personnage, le chevalier de Roquebrune.

Elle ne vit pas le rapport : dans son cas, c'était le contraire, et il n'y avait pas lieu de comparer les Fontaine-Martel avec un chevalier de pousse-toi-de-là-que-je-couche-avec-ta-femme.

L'écrivain nourrissait un dernier soupçon, non moins inquiétant que les précédents.

— Dites-moi, chère madame, qu'est-il arrivé à votre époux, il y a trois ans, et à votre beau-père, l'an dernier ?

— Une fâcheuse série d'accidents qui m'ont laissée hébétée de tristesse, répondit d'un trait l'intéressée.

Il aurait fallu beaucoup d'imagination pour lire la moindre trace d'hébétude sur ce visage, dont seuls la colère et le mépris semblaient pouvoir s'emparer.

Voltaire s'était livré à un petit calcul. La comtesse avait perdu son mari en 1729, précisément l'année où elle avait recueilli le musicien fou ; puis cela avait été le tour du beau-père, l'an passé. Il était persuadé que ces malheureux avaient péri de mort violente. Sans doute le lieutenant Hérault avait-il caché ces meurtres pour ne pas avoir à en répondre devant ses supérieurs, comme il l'avait fait au décès de Mme de Fontaine-Martel. Il fallait espérer que la liste n'était pas plus longue. Combien de cadavres

Mme d'Estaing avait-elle semés dans son sillage depuis qu'elle s'était mis en tête de supprimer tous ceux qui découvraient son secret d'une manière ou d'une autre ?

Il avait de la chance que le factotum ne fût plus de ce monde. Sa visiteuse avait une irrésistible envie de pianoter un air de sa façon.

Voltaire fut pris d'un accès de compassion.

— Chère, chère comtesse. Il doit falloir être dans une souffrance extrême pour vouloir me tuer.

Elle lui assura que non.

— Voyez-vous, monsieur le roturier Voltaire, il y a quelque chose de plus primordial que la fortune : c'est l'honneur, c'est la réputation, c'est de pouvoir se montrer sans que l'on dise de vous : « C'est la fille du cocher, la fille du… »

Elle s'interrompit, incapable de prononcer le mot, ce mot qui avait fait tant de morts.

Chez Voltaire, la pitié avait fait place à l'irritation. Il n'était pas devenu un auteur célèbre pour s'entendre traiter de roturier. L'arrogance de ces nobles était intolérable, elle finirait par faire détester leur caste tout entière. Même un penseur aussi paisible que lui sentait parfois le besoin de faire éclater quelque vaste mouvement qui bouleverserait l'ordonnance de la société.

Il fut tenté, en dépit de la politesse, de répliquer que, pour ce qu'on en savait, elle n'était pas plus noble que lui et l'était peut-être moins ; sa mère à lui avait au moins eu le bon goût de tromper papa avec un gentilhomme.

La perspicacité de la comtesse lui évita de se montrer grossier.

— La noblesse est un état d'esprit, énonça-t-elle sur son ton le plus froid. C'est une chose que ceux qui n'en sont pas ne comprendront jamais.

S'il fallait en croire son origine, cela pouvait au moins s'acquérir au berceau.

Une soudaine agitation épargna à Voltaire de subir une leçon sur le sens profond de l'élitisme. C'était à nouveau la panique à l'hôtel de Fontaine-Martel. Beaugeney, qui s'était réveillé, était reparti à la chasse aux lettres. Le philosophe eut à peine le temps de tourner la tête dans la direction du bruit, une main glissa dans sa poche et en retira le précieux feuillet. Muni de son papier, mais poursuivi par Linant et par le cocher, le valet se réfugia sur une commode.

— Je l'ai, madame, je l'ai ! piailla-t-il en brandissant la confession afin que Linant ne pût l'atteindre, même en sautant.

Le ciel sembla s'ouvrir au-dessus de la comtesse dans un concert d'anges aux voix d'or.

— Mangez-la ! cria-t-elle.

Cet ordre inattendu désarçonna le valet. Il se voyait mal dévorer un écrit si précieux, par ailleurs composé d'une fibre épaisse qui procurait solidité et pérennité aux documents importants.

Ses poursuivants bousculèrent le meuble, il perdit l'équilibre, chuta et lâcha l'objet de tant de convoitise.

Ce fut à ce moment que le fantôme de la baronne crut nécessaire de s'en mêler. Les deux hautes fenêtres du salon s'ouvrirent toutes seules. Un courant d'air digne d'une tempête en mer d'Aral s'engouffra dans la pièce, emportant le témoignage dans son souffle glacé. La lettre voleta vers sa destinataire comme si la main invisible et immatérielle de son auteur tâchait de la conduire à bon port.

Hélas, incapable de se départir de ses habitudes, Mme d'Estaing fit signe au valet de s'en saisir pour elle ; sans doute n'était-il pas de sa dignité de lever le bras pour intercepter le courrier.

La lettre n'était pas pour Beaugeney, cela fut démontré une fois de plus. Au lieu de se laisser sagement cueillir par le valet corrompu, elle reprit son vol, fit deux ou trois pirouettes pour saluer la compagnie et sortit par la fenêtre. Décidée peut-être à contempler Paris, elle se posa sur la corniche de la façade, à cinq coudées de là.

La comtesse engagea Beaugeney à la récupérer coûte que coûte. La prime monta à vingt mille livres, ce qui commençait à représenter une vraie fortune. Après avoir hésité un instant à cause de la hauteur, le valet laissa l'appât du gain étouffer ses préventions. Il monta sur l'appui de la fenêtre et entreprit de glisser vers le cher papier, le dos collé à la paroi.

La matière manquait sous ses talons pour y ouver un appui stable. Il s'en aperçut alors qu'il était déjà engagé. Après un effort désespéré dont on ne comprit pas bien s'il tendait à récupérer le feuillet ou à se rattraper aux moulures, il bascula vers la rue avec un hurlement relayé par une exclamation générale dans le salon. Certains plaquèrent leurs mains sur leur bouche. Celles de la comtesse se tendirent vers le vide avec désespoir.

Le premier mouvement d'effroi passé, chacun se précipita aux fenêtres pour voir ce qu'était devenu le malheureux, aussi mauvais chasseur de primes que mauvais grimpeur.

Il gisait sur le trottoir, aux pieds du lieutenant général de police et de ses subordonnés, venus entendre le fin mot de l'affaire des lèvres de Voltaire ou conduire celui-ci à la Bastille. René Hérault leva le nez et son regard rencontra celui du philosophe.

— Il tombe décidément de curieux pigeons, dans votre quartier, Arouet !

Le lieutenant général fut rejoint au pas de course par son concurrent, le lieutenant civil d'Argouges, qui l'avait suivi avec l'intention de mettre au jour ses petits mensonges.

— Je savais que vous me cachiez des faits bizarres ! s'écria d'Argouges. Voilà qu'il pleut des cadavres !

— Une chute ? En êtes-vous sûr ? dit placidement Hérault, qui avait manqué recevoir le valet sur la tête.

— Ou bien il a été piétiné par un éléphant, dit d'Argouges. Je laisse les autres hypothèses à votre imagination.

La lettre volante se détacha de la corniche et reprit son vol en direction des pavés, qu'elle atteignit à quelques dizaines de pas de la maison. Un gamin la ramassa.

— Toi ! cria Hérault. Dix sous pour ce papier !

L'enfant se dirigea aussitôt vers son bienfaiteur.

— J'en donne cinq sous ! proposa à son tour le lieutenant civil.

Son concurrent le regarda sans comprendre. Que voulait dire cette contre-offre ridicule ?

— L'homme qui te promet dix sous, c'est le lieutenant de police Hérault, ajouta M. d'Argouges en tirant l'argent de sa poche.

Sans hésiter, le gamin bifurqua, lui tendit la lettre, empocha les cinq sous et fila comme le vent.

Après avoir adressé à son collègue un sourire satisfait, le lieutenant civil parcourut son courrier à cinq sous et haussa les sourcils. Il en donna lecture à voix haute.

— « *Ma fille, au moment où je rédige mes dernières volontés, j'éprouve la nécessité de vous demander pardon de toutes les fautes que vous me reprochez, de ma froideur à votre égard, des années que vous avez passées au couvent sans que je vinsse une seule fois vous visiter, enfin de tous ces devoirs de mère que je n'ai guère remplis comme je l'aurais dû. Sans doute en eussé-je mieux usé si votre vue ne m'eût rappelé toujours ma grande faute, cette faute dont vous êtes la conséquence, en un mot, si vous eussiez été la fille de mon époux, et non celle de M. Chapit, favori de Son Altesse le duc d'Orléans, dont je m'épris du temps où je vivais dans l'entourage de ce prince. J'eusse aimé obtenir votre pardon dès le jour où, dans un mouvement de colère, je vous en fis l'aveu. Ma seule espérance est que vous me pardonnerez après ma mort, au nom de cette charité que vous pratiquez avec tant de zèle. J'ai fait pour vous ce que je devais, je vous ai fait élever, je vous ai mariée dans une famille très honorable, vous comprendrez que je lègue à présent mon bien à une demoiselle qui a sur vous le triple avantage de tenir des Martel, d'avoir besoin de cette fortune pour conclure un mariage digne de son nom, et de ne pas me haïr comme vous le faites.* »

L'outrage arracha des cris au spectre noir posté à sa fenêtre.

— Vous n'avez pas le droit de lire cela ! hurla-t-elle. C'est une correspondance privée ! Je vous ferai casser !

M. d'Argouges ne se troubla pas davantage que si un moineau avait pépié dans le branchage.

— Madame, répondit-il à la silhouette ténébreuse qui l'invectivait depuis ces hauteurs, j'ai le droit et le devoir de lire tout ce qui s'écrit en France.

Et il fourra le papier dans sa poche.

— J'en mourrai ! glapit la comtesse.

CHAPITRE TRENTIÈME

Où un marquis gagne un enfant
et perd sa femme.

René Hérault se promit d'avoir une conversation avec Mme d'Estaing au sujet de révélations qui ressemblaient fort à un mobile pour le meurtre de sa mère, voire de son mari et de son beau-père. En monarchie, on n'interpellait pas sans préambule une dame de haut lignage. Il se borna donc à la prier de ne pas quitter Paris et la laissa rentrer chez elle en attendant d'en avoir conféré avec le ministre, qui lui-même en rendrait compte au roi, premier des gentilshommes de France et seul maître de leur destin.

Il accompagna la comtesse dans la rue comme il le ferait un jour au Palais de Justice.

— Je ne vois pas votre voiture. Voulez-vous que je fasse appeler un fiacre ?

— Non ! répondit la comtesse. Pas de fiacre ! Je ne monte pas dans des fiacres !

Elle était femme, en revanche, à monter dans

un panier à salade[1]; c'est ce véhicule qui la ramena chez elle. Cela valait mieux que de rencontrer, sur le siège, un cocher qui eût été l'auteur de ses jours.

— Voilà une grande dame que je reverrai bientôt à la Bastille, dit Hérault, tandis que la voiture de l'administration quittait la rue des Bons-Enfants.

Voltaire en doutait. Il avait éprouvé assez de commisération pour remettre à la malheureuse le dernier pot de confiture de la cousine de Clère, qu'il avait conservé à tout hasard, et lui avait glissé un mot sur son contenu. À voir l'effet qu'avaient eu quelques cuillerées sur la baronne, on pouvait se demander ce qu'il adviendrait d'une personne qui ingurgiterait le tout.

Hérault s'occupa de faire enlever le nouveau cadavre, sous l'œil du lieutenant civil, curieux d'apprendre quels secrets on lui cachait encore.

— Cela tombe comme des mouches, dans ces parages, dit d'Argouges.

— Oui, mais ce n'est jamais le bon qui tombe, répondit le lieutenant général en désignant la silhouette de Voltaire qu'on devinait à travers la fenêtre.

Mlle de Clère et le notaire arrivèrent sur ses entrefaites.

— Voici l'homme qui a fait votre bonheur, dit Me Momet en désignant l'écrivain.

Voltaire était décidément la providence des jeunes filles.

---

1. Expression d'époque pour désigner les voitures de police.

L'avoué venait de rendre à l'héritière le testament véritable. Il lui répéta que c'était ce généreux homme de lettres qui avait remis la main dessus. Le lieutenant général voulut savoir comment.

— Mais en allant le chercher là où il était, cher monsieur Hérault, répondit le pamphlétaire.

Mlle de Clère prit grand plaisir à faire le tour de l'hôtel légué par sa parente éloignée.

— C'est à moi, tout ça. C'est ma maison. Je suis chez moi.

— Charmante enfant, murmura le locataire à l'intention de Linant. Rappelez-moi de n'en faire jamais.

En fin de compte, toute cette affaire découlait d'une faute de la baronne commise trente-sept ans plus tôt.

— Tout cela tenait à peu de chose, en réalité, conclut-il. Beaucoup d'agitation pour une cause minuscule. Nos moindres actes ont des conséquences que nous ne soupçonnons pas.

Quand la marquise du Châtelet revint à l'hôtel de Fontaine-Martel, au début d'avril, l'écrivain vit avec étonnement qu'elle n'avait toujours pas accouché. Cet enfant était une pendule qui retardait.

Les baronnes vengées, les comtesses confondues, les héritières pourvues, il était enfin retourné en toute sérénité à ses travaux littéraires. Pour se mettre en train, il relisait sa *Henriade*, une hagiographie d'Henri IV.

— Il y a une difficulté à parler de personnages célèbres, expliqua-t-il à la marquise : ceux qui croient les connaître ont l'impression qu'on empiète sur leur propriété. On estime que les hommes illustres appartiennent à tout le monde, c'est inexact : ils appartiennent à chacun, et tous ceux qui ont une opinion à leur sujet s'indignent de voir que vous n'avez pas la même qu'eux. Vous leur volez leurs certitudes, une chose à laquelle on tient davantage qu'à son libre arbitre.

La marquise semblait avoir, ce jour-là, des préoccupations plus matérielles.

— J'observe votre train de vie, vous me paraissez à l'aise, remarqua-t-elle. Vos publications doivent être d'un bon rapport.

— Je ne gagne pas d'argent avec mes livres : j'écris pour les gens instruits, ils formeront toujours le plus petit nombre.

Il gagnait sa vie en prêtant à des clients dont il n'exigeait pas qu'ils sachent lire.

— Que cherchent les gens ? demanda-t-il pour revenir aux sujets de haute portée qui l'intéressaient vraiment.

— L'amour ? supposa Mme du Châtelet.

— Oui, bon. Et encore ?

— Le bonheur ?

Il fit la grimace.

— Les gens cherchent la vérité ! La vérité, que seules la science et la philosophie peuvent leur apporter !

— Ah bon ?

— Ils me cherchent, moi ! Ils cherchent Voltaire !

— Je comprends mieux vos ennuis, dit-elle.

— N'est-ce pas ?

Une fois défini que Voltaire était la quête universelle, elle lui exposa le motif de sa visite. Elle avait encore joué, encore perdu et, cette fois, sur parole. Il lui fallait un prêt, de préférence sans intérêts, au nom de leur amitié. Elle aurait certes pu se séparer d'un de ses diamants, mais elle les aimait trop.

— J'aurais mieux fait de me laisser trucider par l'assassin de la comtesse, grogna l'écrivain en ouvrant sa cassette, cela m'aurait coûté moins cher. On a voulu me poignarder, mais vous, vous m'écorchez.

— Mieux vaut être écorché par moi que poignardé par un autre, admettez-le.

Sans doute l'admit-il, puisqu'il paya.

En guise d'intérêts, il s'apprêta à lui lire les passages revus et corrigés des *Lettres philosophiques*. Il se disposait à livrer son ouvrage à ses deux imprimeurs : l'officiel surveillé par la police et l'officieux qui ne l'était pas. Fût-ce la perspective d'une séance littéraire de grande tenue, Émilie sentit qu'elle venait de perdre les eaux.

— Je vais avoir mon bébé, annonça-t-elle d'une voix blanche.

Après tant de promesses déçues, son prêteur n'en avait plus l'espoir. Ses feuillets déjà entre les mains, il n'avait guère envie de les troquer pour des langes.

— En êtes-vous bien sûre ? demanda-t-il avec autant de curiosité que si elle lui avait indiqué l'heure.

La marquise s'impatienta.

— C'est mon troisième : je sais quand je vais avoir un bébé !

— Oui, bon, ne vous fâchez pas. Admettez quand même que ce n'est pas le meilleur moment.

C'était d'autant plus contrariant qu'elle risquait d'en avoir pour la soirée.

— Et vous, quand il vous vient l'idée d'une tragédie, croyez-vous que ce soit jamais le bon moment ? rétorqua-t-elle.

Il reconnut qu'il avait toujours en train des activités plus lucratives ou d'une plus grande importance pour la pensée rationnelle que d'écrire des vers, son péché mignon. Ce rapprochement lui donna une idée.

— Avez-vous songé à un prénom, ma chère ?

Elle se jura de l'assommer s'il lui proposait Eriphyle.

Le marquis du Châtelet jugea nécessaire de rentrer du front à l'occasion des couches. Il avait reçu une lettre :

Madame votre épouse est heureusement accouchée d'un garçon. Voltaire.

Il y avait de quoi être troublé. M. du Châtelet ne connaissait qu'un seul Voltaire et ignorait que celui-ci arrondissait ses fins de mois comme sage-femme.

Il roula sans faire de halte et se présenta rue Traversière à trois heures du matin. Il y avait de la lumière dans les appartements de la nouvelle accouchée. Les domestiques parurent surpris et gênés de le voir surgir à l'impromptu. Malgré tous les adoucissements qu'on lui ménagea, M. le marquis apprit successivement, en tirant les vers du nez du personnel, que Madame ne dormait pas, qu'elle n'était pas seule et qu'il y avait un homme avec elle.

Il monta les marches quatre à quatre, l'épée au côté, traversa le corridor et pénétra chez sa femme sans se faire annoncer. Ce fut pour la trouver habillée d'une robe d'intérieur et chaussée de mules, penchée sur une table recouverte d'exercices de mathématiques, d'expériences de physique et de traductions latines, en compagnie d'une sorte de diablotin curieusement attifé d'un manteau fourré et d'un bonnet mou en velours cramoisi.

Petits dormeurs l'un et l'autre, ils perdaient la notion du temps quand ils étaient à leur science. Trois heures de l'après-midi ou du matin étaient également propices à l'étude, et même davantage la nuit que le jour, car on y recevait, en principe, moins de visites.

Ayant vu cela, le marquis, qui venait de parcourir vingt lieues d'une seule traite et que les théories de Newton n'empêchaient pas de dormir, alla se coucher.

Le lendemain matin, lorsqu'il pénétra dans sa salle à manger, il fut accueilli par ce même inconnu qui lui déclara : « Ah ! Monsieur ! Nous avons un beau garçon ! Notre Émilie se porte bien ! » Le marquis le remercia de cette communication. Un peu plus tard, il trouva de nouveau sa femme en train de mathématiser, au lit, cette fois. Bien qu'il ne bénéficiât pas de lumières similaires à celles de ces esprits supérieurs, il comprit que son épouse avait changé de vie. Il comptait moins, dans cette nouvelle existence, qu'un signe « plus » ou qu'un « égale » ; comme elle comptait moins dans la sienne qu'un mouvement de troupes sur un champ de bataille, il ne se formalisa pas trop de cette évolution et s'en fut embrasser le futur vicomte du Châtelet, son fils, leur principal trait d'union dorénavant.

Il ne fallut pas longtemps pour que lui reviennent aux oreilles certaines pérégrinations parisiennes en compagnie d'un philosophe.

— Nous combattons le crime pour la gloire de la logique et du savoir ! expliqua son épouse, ce qui était censé suffire à dissiper tout malentendu.

Le marquis demeura perplexe.

— On va vous le reprocher, prédit-il.

Peu soucieuse du qu'en-dira-t-on, la marquise était résolue à ne plus se consacrer qu'à l'étude des sciences, les voltairiennes et les autres.

Puisque tout allait bien chez lui sans lui, son époux ne tarda pas à retourner faire ce qui lui plaisait le plus au monde et qui n'avait rien à voir avec la philosophie, c'est-à-dire lancer ses soldats à l'assaut de quelque position ennemie pour la plus grande gloire du royaume de France. Les Polonais reçurent maints coups d'estoc cette saison-là.

Émilie et Voltaire regardèrent la voiture du marquis s'éloigner dans la rue Traversière. Il les abandonnait l'un à l'autre. La marquise poussa un soupir.

— J'ai eu dans ma vie un homme bon, un homme beau et un homme aimable. Il me manque quelque chose.

— Un homme brillant ? suggéra Voltaire.

Pour l'homme modeste, elle allait devoir attendre encore.

Elle lui proposa de s'installer chez elle pour être plus à même de passer leurs nuits à étudier de concert. Voltaire fit la liste de tout ce qui les empêchait de vivre ensemble.

— Je dors rarement plus de cinq heures.

— Et moi deux, dit la marquise.

— Je suis toujours occupé de quelque chose.

— Je ne sais ce que c'est de ne rien faire.

— Les conventions, les bonnes mœurs, votre réputation...

— C'est trop tard.

Elle tenait absolument à le garder.

— Les femmes n'ont pas accès au savoir, mais moi j'ai accès à Voltaire. Vous serez mon vieux grimoire.

— Je serai votre grimoire de trente-neuf ans, rectifia l'écrivain.

Elle l'ignorait, mais il avait d'autres raisons de vouloir habiter ailleurs. Sa raison principale se présenta sous la forme d'un bourgeois d'âge moyen, à la mine pateline, vêtu aussi tristement qu'il seyait à un financier et dont la face rubiconde proclamait la réussite. Voltaire l'accueillit comme la pluie d'or sur Danaé.

— Je vous présente M. Dumoulin, mon autre moi-même !

— Monsieur écrit, peut-être ? supposa la marquise en tendant sa main à baiser.

— Grand Dieu non ! s'exclama le philosophe. Dumoulin investit mon argent sans que mon nom paraisse.

La marquise retira sa main.

— C'est donc qu'il y aurait de la honte à être cité dans ces placements ?

— Chère amie, ne poussez pas la philosophie jusqu'à tirer des conclusions de choses qui vous dépassent, répondit Voltaire, qui n'avait pas eu, pour sa part, la chance d'épouser un marquis peu regardant sur la dépense.

Le prête-nom habitait tout près du port aux grains, derrière l'Hôtel de Ville, et Voltaire voulait être en mesure de surveiller certains investissements en blé qu'il venait de faire. Il souhaitait aussi développer une idée qu'il avait eue en visitant ses imprimeurs : fabriquer du papier avec de vieux chiffons.

— Rendez-vous compte ! On pourrait imprimer mes œuvres sublimes sur vos vieilles nippes !

La marquise s'imagina dans le monde avec une robe recouverte des *Lettres philosophiques,* et M. Hérault courant après les dames pour leur arracher ces vêtements subversifs.

Elle eut la conviction qu'ils se reverraient bientôt.

REPÈRES BIOGRAPHIQUES

1694 Naissance de François-Marie Arouet à Paris.
1704 François-Marie perd sa mère. Il entre chez les jésuites de Louis-le-Grand. Ninon de Lenclos lui lègue mille francs pour acheter des livres.
1706 Naissance d'Émilie Le Tonnelier de Breteuil.
1717 Premier séjour à la Bastille.
1718 Succès d'*Œdipe* au théâtre.
1719 François-Marie Arouet prend le nom de Voltaire.
1721 Voltaire tire profit de la débâcle du Système de Law.
1722 Mort de M. Arouet père.
1726 Voltaire est bastonné sur ordre du chevalier de Rohan. Second séjour à la Bastille. Exil en Angleterre.
1731 La police saisit l'*Histoire de Charles XII*. Voltaire s'installe chez Mme de Fontaine-Martel.

1732 Succès triomphal de sa tragédie *Zaïre*.
1733 Mort de Mme de Fontaine-Martel. Début de la liaison avec Émilie du Châtelet.
1734 Condamnation des *Lettres philosophiques* au pilori et au feu. Fuite en Lorraine avec Émilie.
1738 Expériences scientifiques avec Émilie.
1745 Séjour à Versailles grâce à la marquise de Pompadour. Voltaire est nommé historiographe de Louis XV.
1746 Élection et réception à l'Académie. Voltaire est nommé gentilhomme ordinaire de la chambre du roi.
1747 Rédaction de *Zadig*. Difficultés à la cour. Incident au jeu de la reine.
1748 Séjour à Nancy, chez le roi Stanislas. Voltaire surprend Émilie dans les bras de Saint-Lambert.
1749 Émilie meurt en couches.
1750 Départ pour Berlin comme chambellan de Frédéric II. Voltaire ne reviendra plus à Paris avant vingt-huit ans.
1753 Voltaire se brouille avec Frédéric II et fuit Berlin. Arrestation d'un mois à Francfort. Louis XV lui interdit de rallier Paris.
1754 Voltaire séjourne à Genève.
1755 Voltaire s'installe aux *Délices*, près de la frontière suisse.
1758 Voltaire achète Ferney et Tournay au président de Brosses. Procès avec le libraire Grasset.

1759 Publication de *Candide*.
1760 Rupture avec Jean-Jacques Rousseau.
1762 Début de l'affaire Calas.
1765 Réhabilitation de Calas.
1766 Exécution du chevalier de La Barre. Tentative pour faire réhabiliter le comte de Lally-Tollendal.
1778 Retour à Paris. Voltaire est reçu à la loge des Neuf Sœurs. Il décède chez le marquis de Villette. Mort de Rousseau trois jours plus tard. Enterrement clandestin de Voltaire dans l'abbaye de Sellières à cinq heures du matin.

LES FONTAINE-MARTEL VUS PAR LES MÉMORIALISTES

M. de Fontaine-Martel, de bonne et ancienne maison des Martel et des Clère de Normandie, était un homme perdu de goutte et pauvre. Sa femme avait de l'esprit et du manège. Mme de Fontaine-Martel s'était ainsi trouvée naturellement du grand monde; elle était fort de la cour de Monsieur[1].

Mémoires de Saint-Simon, 1692.

Mme de Fontaine-Martel, par la charge de son mari, goutteux, qu'on ne voyait guère, passait sa vie à la cour.

Mémoires de Saint-Simon, 1702.

Fontaine-Martel était mort, mangé de goutte, ne laissant qu'une fille encore enfant.

Mémoires de Saint-Simon, 1706.

1. Philippe d'Orléans, frère de Louis XIV.

M. d'Estaing maria son fils à la fille unique de Mme de Fontaine-Martel, qui était une riche et noble héritière, ce qui fut un mariage très assorti. M. le duc d'Orléans[1] leur donna sous la cheminée la survivance du gouvernement de Douai, qui est très gros et qu'avait M. d'Estaing.

Mémoires de Saint-Simon, 1716.

Mme de Fontaine-Martel vit encore aujourd'hui ; elle est de la cour du Palais-Royal ; elle a une maison sur ce jardin ; mais elle est riche et avare, quoiqu'elle ne laisse pas de dépenser en victuailles. Chez la Fontaine-Martel, on dîne peu, on ne déjeune jamais ; mais on soupe tous les soirs. Les soupers se piquent d'être mauvais. Elle a des sorties[2] qu'elle fait quelquefois qui dégoûtent d'elle, quoiqu'on s'en moque ; elle est haïe dans son domestique, ce qui est un grand point. Elle rassemble des beaux esprits, à quoi elle n'entend rien, quoiqu'elle ait composé un conte de ma mère l'oye. Elle se pique de ne pas recevoir chez elle des femmes et des amants qui aient des affaires ; mais je sais qu'on y fait pis selon Dieu, car les affaires s'y commencent. Elle entretient un grand nombre d'homme nécessiteux avec une semblable et aussi raisonnée économie.

Mémoires du marquis d'Argenson.

D'un recoin de votre grenier,
Je vous adresse cette lettre

1. Le Régent.
2. Des saillies.

Que Beaugeney doit vous remettre
Ce soir au bas de l'escalier.
Ô très singulière Martel,
J'ai pour vous estime profonde.
C'est dans votre petit hôtel,
C'est sur vos soupers que je fonde
Mon plaisir, le seul bien réel.
Il est vrai qu'un peu je vous gronde ;
Car, sous vos cornettes de nuit,
Sans préjugés et sans faiblesse,
Vous logez esprit qui séduit,
Et qui tient fort à la sagesse.
Vous avez, au lieu de vigiles [1]
Des soupers longs, gais et tranquilles ;
Des vers aimables et faciles ;
Bien loin de toute triste erreur,
Voltaire, au lieu d'un directeur [2] ;
Et, pour mieux chasser toute angoisse,
Au curé préférant Campra [3],
Vous avez loge à l'Opéra,
Au lieu de banc à la paroisse.
Jamais aigre dans la satire,
Toujours vive dans les bons mots,
Se moquant quelquefois des sots,
Et très souvent, mais à propos,
Permettant au sage de rire.

Épître à Mme de Fontaine-Martel,
(version abrégée), Voltaire, décembre 1731.

---

1. Prières.
2. Directeur de conscience.
3. André Campra, compositeur.

Pour nous autres Fontaine-Martel, nous jouons la comédie assez régulièrement. Nous répétâmes hier la nouvelle *Eriphyle*. Nous faisons quelquefois bonne chère, assez souvent mauvaise.

Voltaire à M. de Formont,
le 18 avril 1732.

J'ai eu la sottise de perdre douze mille francs au biribi chez Mme de Fontaine-Martel.

Voltaire à M. de Cideville,
le 3 septembre 1732.

J'étais à Versailles, Monsieur, quand votre présent arriva à Paris. Mme de Fontaine-Martel le mangea sans moi. Mais vous n'y perdez rien, elle a beaucoup de goût pour ce qui est excellent en son genre. Elle a autant de gourmandise que d'esprit. Elle a trouvé votre marcassin admirable. Mais elle est encore plus touchée de vos vers et de l'agrément de vos lettres.

Voltaire à M. Clément,
receveur des tailles à Dreux,
le 25 décembre 1732.

Les confitures que vous aviez envoyées à la baronne, mon cher Formont, seront mangées probablement par sa janséniste de fille, qui a l'estomac dévot, et qui héritera au moins des confitures de sa mère, à moins qu'elles ne soient substituées, comme tout le reste, à Mlle de Clère. Je devais une réponse à la charmante épître dont vous accompagnâtes votre présent; mais la maladie de notre baronne suspendit toutes nos rimes redoublées. Je ne croyais pas, il y a huit jours, que les premiers vers qu'il faudrait faire pour elle seraient son épitaphe. Je ne conçois pas comment j'ai résisté à tous les fardeaux qui m'ont accablé depuis quinze jours. On me saisissait *Zaïre* d'un côté, la baronne se mourait de l'autre; il fallait aller solliciter le garde des Sceaux et chercher le viatique. Je fis tout ce que je pus pour engager la mourante à laisser quelque chose à ses domestiques et surtout à une jeune personne de condition qu'elle avait prise depuis peu auprès d'elle, et qu'elle avait arrachée à sa famille sur l'espérance qu'elle lui avait donnée de la mettre sur son testament. La baronne fut inflexible et voulut absolument dispenser toute sa maison de la douleur de la regretter. Il y avait trois ans qu'elle avait fait un testament pour déshériter sa fille unique autant qu'elle le pouvait. Mais depuis ce temps elle avait renouvelé deux ou trois fois sa maison et ses amis. Pour moi je suis à présent dans l'embarras de chercher un logement et de réclamer mes meubles, qui étaient confondus avec ceux de la baronne. Sans tous ces malheureux contretemps, ma nouvelle tragédie serait bien avancée.

Voltaire à M. de Formont,
le 27 janvier 1733.

J'ai perdu, comme vous savez peut-être, mon cher ami, Mme de Fontaine-Martel; c'est-à-dire que j'ai perdu une bonne maison dont j'étais le maître et quarante mille livres de rente qu'on dépensait à me divertir. Que direz-vous de moi, qui ai été son directeur à ce vilain moment, et qui l'ai fait mourir dans toutes les règles ? Savez-vous bien qu'il n'y a pas quinze jours que nous représentâmes *Zaïre* chez Mme de Fontaine-Martel ? Qui aurait cru qu'il faudrait, quinze jours après, quitter cette maison, où tous les jours étaient des amusements et des fêtes ?

Voltaire à M. de Cideville,
le 27 janvier 1733.

Voltaire est bien insolent d'avoir parlé et écrit de l'Académie comme il a fait. Il se rend tous les jours indigne d'en être, et même de la société. Après la mort de son amie, il a assisté à l'ouverture de son corps et a voulu voir apparemment le siège de l'amitié. Il a écrit au chevalier de Saint-Valier, qui lui demandait s'il ne pourrait point avoir quelques livres de la dame, qu'elle n'avait que deux livres, celui de ses contes et celui de ses heures, qu'elle lisait trop le premier et trop peu le second ; mais ce n'est pas ainsi que lui-même en parlait de son vivant, quand il disait qu'il serait son directeur et qu'elle aurait une loge à l'Opéra au lieu d'un banc à la paroisse. Fiez-vous à de telles cervelles.

Journal et Mémoires de Matthieu Marais,
le 7 février 1733.

On n'a pas encore enlevé le scellé, on ne sait pas même si Mme d'Estaing, sa fille, n'attaquera pas le testament. Tout le monde parle d'une lettre qui accompagnait le testament de la baronne. On dit que dans cette lettre, pour s'excuser envers sa fille de tout le mal qu'elle lui a fait, elle lui avoue en confidence qu'elle n'est pas la fille de M. de Fontaine-Martel, mais bien d'un M. Chapit, ancien favori de Monsieur, qui partageait jadis ses faveurs entre le frère de Louis XIV et notre baronne. Si cette lettre est vraie, il y a là de quoi faire casser tous les testaments du monde. On prétend que M. le lieutenant civil, l'ayant ouverte, n'a pu s'empêcher d'en dire le contenu à quelques-uns de ses amis. Il est certain que Mme d'Estaing a fait faire une consultation signée de dix-huit avocats qui assurent que le lieutenant civil n'est pas en droit d'ouvrir des lettres. Le lieutenant civil s'en moque et dit qu'il faut qu'il ouvre et qu'il lise tout. Le public cependant rit aux dépens de la défunte, excepté ses domestiques, qu'elle laisse sans aucune récompense, et une Mlle de Grandchamp, nièce de Mme d'Andrezel, que notre baronne avait arrachée à ses parents dans l'espérance, dont elle la leurrait, de la mettre sur son testament, et réellement dans la seule vue d'avoir une bonne de plus à son méchant cabaret. Mme la duchesse d'Orléans prendra soin de cette demoiselle, qui est digne d'estime autant que de pitié, et on la mettra dans un couvent. Pour moi, je reste dans la maison en attendant que je puisse faire dénicher mes meubles, qui sont confondus avec ceux de la pauvre défunte, et j'irai loger près de Saint-Gervais, quartier moins agréable, mais où des raisons de convenance m'obligent à m'établir.

On vient de lever le scellé de la baronne. On a trouvé trois testaments, le dernier était du mois d'octobre 1732, mais ce ne sont que des confirmations du mal qu'elle voulait faire à sa fille et de son ingratitude pour ses domestiques et pour ses amis. Elle ne laisse rien à personne que la liberté de ne pas la regretter.

Voltaire à M. Thiriot,
le 24 février 1733.

Je quitte aujourd'hui les agréables pénates de la déloyale baronne, et je vais claquemurer vis-à-vis le portail Saint-Gervais.

Voltaire à M. Thiriot, le 10 mai 1733.

M. le maréchal de Bezons vient de mourir aussi bien que Mme la comtesse d'Estaing, fille de feu Mme de Fontaine-Martel.

Journal de la cour et de Paris,
le 25 mai 1733.

Charles (*sic*) Martel, comte de Fontaine-Martel, seigneur de Brétigny, était décédé en avril 1706. La comtesse de Fontaine-Martel, dame de Brétigny, étant décédée à Paris, et son corps ayant été apporté à Saint-Pierre-de-Brétigny dans un cercueil de plomb, on fit faire pour elle un caveau. La marquise d'Estaing, dame de Brétigny après la dame de Fontaine-Martel, sa mère, étant aussi décédée en 1733, elle fut inhumée à Paris, dans l'église Saint-Paul, sa paroisse.

Mercure de France.

Achevé d'imprimer par GGP Media GmbH, Pößneck
en janvier 2012
pour le compte de France Loisirs,
Paris

N° d'éditeur : 66763
Dépôt légal : février 2012

Imprimé en Allemagne